Recetas *sabrosas*

para alergias

e intolerancias alimentarias

AUTOR: FRIEDRICH BOHLMANN

HISPANO
EUROPEA

Indice

Ensaladas

Sopas

Platos principales vegetarianos

ALERGIAS ALIMENTARIAS

RECETAS HIPOALERGENICAS

Desayunos, snacks y bebidas

Platos principales de carne

Postres

Apéndices

Título de la edición original: **Allergenarm genießen**

Es propiedad, 2008
© **Gräfe und Unzer Verlag GmbH,** Munich

© de la edición en castellano, 2010:
Editorial Hispano Europea, S. A.
Primer de Maig, 21 - Pol. Ind. Gran Via Sud
08908 L'Hospitalet - Barcelona, España
E-mail: hispanoeuropea@hispanoeuropea.com
Web: www.hispanoeuropea.com

© fotografías: **Jörn Rynio** (con la ayuda de Petra Speckmann, especialista en imágenes de alimentos)

© de la traducción: **Margarita Gutierrez**

Depósito Legal: B. 470-2010

ISBN: 978-84-255-1905-5

IMPRESO EN ESPAÑA
LIMPERGRAF, S. L.
Mogoda, 29-31 (Pol. Ind. Can Salvatella)
08210 Barberà del Vallès

Comer bien
a pesar de
la alergia alimentaria
con las recetas correctas

Un hormigueo en la lengua, dolor de cabeza o incluso debilidad circulatoria; la persona que descubre que el causante es un alimento que hasta entonces había tolerado aparentemente sin problemas, se suele sentir desorientada.

Si de este hecho se desprende que a partir de ese momento, por ejemplo, los cereales habituales quedan terminantemente prohibidos o que los huevos deben desaparecer de su dieta y de la despensa, o incluso que la leche y los lácteos pasan a ser productos prohibidos, en seguida aparece la desesperación. ¿Entonces, qué es lo que puedo comer?

Este libro responde a esa pregunta. Por regla general, los platos que se presentan pueden ser consumidos por las personas alérgicas. Todas las recetas prescinden de los doce alérgenos más frecuentes y peligrosos (según la ley de los alimentos). Con estas recetas y la elección consciente de los alimentos, ninguna intolerancia alimentaria le privará de la alegría de cocinar y comer.

Intolerancias alimentarias:
desde la verdadera alergia
hasta el defecto enzimático

Alergia: el sistema inmunitario se vuelve loco

Cada día, a través del tubo digestivo entran en el organismo muchas sustancias extrañas al cuerpo. En el primer contacto con un intruso de este tipo, el cual por regla general se produce de forma inadvertida, el sistema inmunitario crea anticuerpos específicos, los cuales médicamente se conocen como inmunoglobulinas. En los siguientes contactos, estos anticuerpos detectan al intruso y desencadenan nuevas reacciones defensivas. En nuestro organismo esto se produce de manera ininterrumpida, por lo general sin que nosotros nos demos cuenta. Sólo cuando el agresor es detectado como peligroso, el cuerpo reacciona con síntomas claramente reconocibles.

Por el contrario, en el caso de una alergia, una sustancia inofensiva es almacenada en la memoria del sistema inmunitario como si fuera altamente peligrosa. Como defensa, las células inmunitarias secretan histamina. Ésta dilata los vasos sanguíneos, de manera que aumenta la capacidad de transporte de sustancias defensivas a través de la sangre. Además, la histamina provoca la contracción de los músculos, para que los intrusos sean expulsados con mayor rapidez del intestino o los pulmones. Posibles consecuencias son diarrea, vómitos o rinitis, unas reacciones muy útiles cuando entran en el organismo agentes patógenos peligrosos. Pero en el caso de la alergia, este tipo de medidas defensivas del cuerpo son con frecuencia muy molestas y en casos extremos pueden poner en peligro la vida del afectado.

➤ *Shock* anafiláctico

Es el mayor peligro de las alergias, ya que debido al exceso de histamina los vasos sanguíneos pueden dilatarse tanto que la presión arterial desciende drásticamente y órganos importantes no reciben suficiente sangre. Un escozor de la lengua, náuseas súbitas y una sudoración intensa son otros signos típicos. Rápidamente se acumula líquido en los tejidos, y aparece la dificultad para respirar, la cual puede seguirse de un colapso circulatorio y de la pérdida de conciencia.

La vida del afectado está en peligro. En una situación así debe llamarse de inmediato al servicio de urgencias y colocar al paciente en decúbito y con las piernas elevadas. Si existe pérdida de conciencia hay que colocarlo en decúbito lateral estable.

Pseudoalergia con problemas serios

El nombre confunde, puesto que la persona que sufre una pseudoalergia no tiene menos problemas que los «alérgicos verdaderos». En esta situación también existe una liberación exagerada de histamina, lo que provoca los típicos síntomas de las alergias. Sin embargo, lo que diferencia la pseudoalergia de la verdadera es la causa de la producción excesiva de histamina. En el caso de la pseudoalergia, no es el sistema inmunitario el responsable del exceso de histamina, sino que son determinadas sustancias contenidas en los alimentos las que estimulan directamente a los llamados mastocitos para que liberen la histamina. Al contrario de lo que ocurre en una verdadera alergia, en la que incluso una cantidad ínfima de alérgeno desencadena una reacción, en la pseudoalergia la aparición de los síntomas alérgicos depende de la cantidad de las sustancias desencadenantes. Dichas sustancias pueden ser componentes de los alimentos, como la lecitina de las fresas o los salicilatos de la manzana, aunque también aditivos alimentarios, como el conservante ácido benzoico o el colorante tartracina. Las pseudoalergias producidas por los aditivos alimentarios son comparativamente poco frecuentes.

Alimentos problemáticos

Las intolerancias alimentarias son mucho más frecuentes que las alergias y las pseudoalergias. Dado que su sintomatología se parece mucho a la de las alergias, con frecuencia se confunden con éstas. No obstante, las causas del transtorno son completamente diferentes. Así, por ejemplo, cuando existe una intolerancia al gluten, la mucosa de las vellosidades intestinales reacciona de manera hipersensible ante la presencia de una proteína presente en algunas variedades de cereales como el trigo, el centeno, la cebada, la avena y la espelta. Si las vellosidades intestinales son expuestas una y otra vez a esta proteína, al final el organismo destruye sus propias vellosidades intestinales. Como consecuencia, muchos nutrientes no pueden ser absorbidos de manera óptima. En los niños pequeños esta enfermedad recibe el nombre de «enfermedad celíaca» y provoca náuseas y transtornos en el crecimiento. En el adulto se habla de «esprúe celíaco». Por regla general, con una dieta sin gluten, que el enfermo debe seguir de por vida, todos los síntomas desaparecen, desde el ligero dolor abdominal hasta el déficit de hierro o los problemas articulares. Con frecuencia, los afectados atribuyen estas molestias a una alergia a la harina de

> ### ➤ Síntomas de las alergias alimentarias
>
> Los síntomas son los mismos tanto si trata de una verdadera alergia como de una pseudoalergia. Aparecen sobre todo por donde los desencadenantes de la alergia penetran en el organismo, es decir, en las mucosas y el intestino. Los síntomas característicos son:
>
> > alteraciones respiratorias,
> > dolor abdominal,
> > diarrea,
> > vómitos,
> > enrojecimiento de los ojos,
> > enrojecimiento de la piel,
> > tos,
> > hormigueo en la zona de la boca,
> > estornudos,
> > edemas y
> > náuseas.

trigo, por lo que recurren a otros cereales, los cuales también contienen gluten. Así pues, los síntomas persisten y la debilidad aumenta. Sólo una biopsia puede determinar sin lugar a dudas si se trata de una alergia o una intolerancia al gluten, y cuál es el tratamiento adecuado.

Con mayor frecuencia, los pacientes sospechan que tienen una alergia a la leche, porque al tomar un vaso de leche aparecen gases, retortijones, náuseas y diarrea espontánea. En este caso, la causa también es con mayor frecuencia un déficit enzimático que una alergia a la proteína de la leche. El intestino produce poca lactasa, un enzima que descompone la lactosa. Por lo tanto no es suficiente con evitar la leche. El afectado debe evitar también aquellos productos a los que se ha añadido lactosa. Entre éstos se encuentran, por ejemplo, productos industriales, mezclas para sazonar, sopas de sobre y helados. Sin embargo, en los supermercados pueden encontrarse leche y productos lácteos sin lactosa.

Reconocimiento
de las intolerancias:
adquirir la certeza, comer sin miedo

Empieza con síntomas como erupciones cutáneas, espasmos intestinales, flatulencia o incluso dificultad para respirar. Es raro que el afectado establezca de inmediato la relación entre el desencadenante y los síntomas. Y es que desde la anguila hasta la zarzamora, casi todo lo que va al plato puede provocar una alergia alimentaria. No obstante, lo tranquilizador es que ni la carne, ni las patatas, ni muchas hortalizas y aceites son generalmente los desencadenantes. Si aumenta la sospecha de que los alimentos son de hecho la causa de la sintomatología, es frecuente que la duda se extienda a varios alimentos y que la lista aumente sin parar. Con frecuencia, el afectado no encuentra otro modo de solucionar el problema que limitar de manera drástica su dieta. Esto incide negativamente sobre la variedad de su alimentación y el aporte de nutrientes. Para evitar esta situación debería dilucidar con su médico sobre la existencia de alergia o intolerancia que padece y de qué tipo es (véanse también las páginas 12 y 13).

Tratamiento adecuado después de un diagnóstico preciso

Popularmente, las alergias, las pseudoalergias y determinados problemas digestivos, como la intolerancia a la lactosa, se incluyen con frecuencia dentro del cajón de sastre de las alergias. Para englobar todos esos procesos, los expertos prefieren utilizar el término «intolerancia alimentaria». Pero, ¿por qué es importante hacer una diferenciación precisa? Si queremos combatir eficazmente los síntomas, en ocasiones muy molestos, debemos

> ### ➤ Casi veinte millones de afectados

Faltan datos exactos sobre el número de personas que en algún momento de su vida han padecido una intolerancia alimentaria. Con los años, muchas personas desarrollan una intolerancia a la lactosa, mientras que otras sufren una alergia desde el nacimiento. En Europa, a lo largo de la vida una de cada cuatro personas sufrirá una intolerancia alimentaria. Y la cifra sigue aumentando. Dado que la oferta de alimentos es cada vez más amplia, también aumenta el riesgo de que entre los comestibles se escondan sustancias desencadenantes de alergias o intolerancias.

saber con exactitud de qué tipo de intolerancia alimentaria se trata. Individualmente, una misma sintomatología puede tener causas muy distintas que deben estudiarse minuciosamente y tratarse de manera correcta. Sobre todo, en el caso de un paciente con una larga historia de molestias tras de sí, todavía es más importante aliviar con rapidez los síntomas mediante una dieta adecuada, pero sin dejar de ser equilibrada.

¿Por qué el polen de abedul puede desencadenar una alergia a las manzanas?

➤ Pequeño diccionario de la alergia

➤ **Aditivos:** sustancias añadidas a los alimentos, sobre todo colorantes como la tartracina o conservantes como el ácido benzoico. Desencadenantes de → pseudoalergias. Aproximadamente el 0,2 % de la población reacciona alérgicamente frente a los aditivos.

➤ **Alergia:** reacción inmunológica patológica desencadenada por una sustancia por sí misma inofensiva denominada «alérgeno».

➤ **Alergia cruzada:** fenómeno alérgico en el que una alergia contra un determinado alimento de origen vegetal se acopla (cruza) con una alergia a otras sustancias, por ejemplo, manzana y polen de abedul.

➤ **Aminas biógenas:** productos metabólicos, producidos por el propio organismo o introducidos a través de los alimentos que pueden desencadenar cefalea, náuseas o diarrea → histamina.

➤ **Anticuerpo:** sustancia defensiva del sistema inmunológico contra proteínas extrañas.

➤ **Caseína:** proteína especial de la leche que con frecuencia es la responsable de la alergia a la proteína de la leche. También está presente en la leche de oveja y de cabra.

➤ **Celiaquía:** conocida también como «esprúe». Lesión de la mucosa intestinal causada por el → gluten, que cursa con diarrea severa y transtornos del crecimiento en la infancia.

➤ **Gluten:** proteína presente en el trigo, el centeno, la cebada, la avena... Desencadenante de una → celiaquía.

➤ **Histamina:** una → amina biógena que se encuentra, entre otros, en la col agria (sauerkraut), los tomates, el vino y las salchichas. Posible desencadenante de una → pseudoalergia. Por otra parte, en las alergias el organismo libera mayor cantidad de histamina.

➤ **Intolerancia a la lactosa:** déficit del enzima lactasa, el cual descompone la lactosa; tras la ingesta de leche aparece diarrea.

➤ **Pseudoalergia:** intolerancia alimentaria con la sintomatología habitual de la alergia pero sin formación de anticuerpos.

Si imaginamos que el alérgeno es una llave para la cual el sistema inmunológico posee la cerradura adecuada, es decir, el anticuerpo para ese determinado alérgeno, en este caso existen cerraduras que pueden ser abiertas por distintas llaves. Un ejemplo: aquella persona que desarrolla una alergia contra el polen de abedul, es decir, su sistema inmunológico crea una «cerradura especial» para el polen del abedul, con mayor frecuencia al morder una manzana se desencadena en su organismo una gran alarma inmunológica. Los expertos hablan de una alergia cruzada. Dado que los alérgenos del polen de abedul y de la manzana se asemejan mucho, el alérgeno de la manzana también abre la cerradura del polen de abedul y provoca la sintomatología alérgica.

Este tipo de alergias cruzadas no son raras, ya que el sistema inmunológico con frecuencia crea cerraduras inmunológicas en las que se acoplan diversas llaves. La tabla muestra las principales alergias cruzadas. De esta manera, un alérgico al polen de abedul, por ejemplo, entenderá por qué de pronto en invierno desarrolla una erupción cutánea: ¡la culpa la tienen las almendras escondidas en los turrones y los mazapanes de Navidad!

Alergia primaria	Posible alergia primaria con un alimento
➢ Artemisa	➢ Apio, zanahoria, pimiento, kiwi, pepino, tomate, melón, mango, manzana, muchas especias
➢ Polen de abedul	➢ Almendra, zanahoria, apio, avellana, fruta de pepita, fruta de hueso, zarzamora, frambuesa, fresa
➢ Cacahuete	➢ Legumbres
➢ Polen de gramíneas	➢ Cereales, soja, cacahuete
➢ Ácaros del polvo	➢ Marisco
➢ Frutos secos y semillas	➢ Muchos otros frutos secos y semillas
➢ Apio	➢ Zanahoria, muchas especias

Entender mejor
las alergias alimentarias:
éstas son las dudas que todavía tengo

¿Las alergias alimentarias están determinadas genéticamente?

Los factores hereditarios pueden determinar una predisposición a padecer una alergia. Si uno de los progenitores sufre una alergia alimentaria, el riesgo de sufrir la enfermedad será el doble. Si ambos progenitores presentan una alergia alimentaria, el riesgo aumenta hasta seis veces. Pero, naturalmente, para que se desarrolle una alergia alimentaria es necesaria la presencia del alérgeno.

¿La alergia alimentaria dura toda la vida?

Cuando la alergia alimentaria afecta a un niño, en aproximadamente un 90 % de los casos la intolerancia desaparece hacia los nueve años. Sin embargo, cuando la alergia se presenta en un adulto, como mínimo en los casos graves, la alergia perdura toda la vida. Si en una alergia leve se evita el alérgeno durante varios años, puede ocurrir que la alergia desaparezca. Por este motivo, al cabo de unos años vale la pena repetir las pruebas de alergia.

¿Influyen los aspectos psicológicos en la gravedad de una alergia alimentaria?

Las alergias alimentarias tienen su origen en el tracto gastrointestinal, donde los alérgenos entran en contacto directo con el organismo. Y precisamente los órganos digestivos reaccionan con especial sensibilidad ante los factores psicológicos. Así pues, con frecuencia se constata que, por ejemplo, en situaciones de estrés, miedo o alteraciones de la rutina diaria, las alergias son más habituales e intensas. Los síntomas de la alergia aumentan a su vez el estrés, de manera que es un pez que se muerde la cola.

¿Están aumentando las alergias alimentarias?

De la misma manera que disponemos de pocos datos sobre la frecuencia de las alergias alimentarias, sí tenemos datos que confirman que éstas están aumentado. Dado que la oferta alimentaria se acrecienta día a día, puede deducirse que también aumenta el número de enfermedades provocadas por los alimentos. Por otra parte, cada día se realizan más pruebas de alergia, lo que conduce a una extensión «aparente» de las alergias alimentarias.

¿Una alimentación dirigida puede prevenir una alergia alimentaria?

Sólo aquellas personas prevenidas por una alergia alimentaria de sus padres, las cuales a través de los genes han heredado un riesgo más elevado para determinada alergia o intolerancia alimentaria, pueden eliminar conscientemente de su dieta esos alérgenos conocidos. Para el resto, la eliminación preventiva de la dieta de determinados alimentos puede ser incluso perjudicial. Ya que de esta manera se aumenta el riesgo de no aportar los nutrientes suficientes y de que el organismo se debilite.

¿Existen medicamentos contra las alergias alimentarias?

Por desgracia, los medicamentos sólo logran aliviar los síntomas de la alergia. El médico puede prescribir los llamados «antihistamínicos», que son sustancias que se acoplan precisamente a escala celular, donde se halla la histamina, catalizador de la alergia. De esta manera, la histamina no puede actuar y los síntomas remiten. Otros medicamentos, los estabilizadores de los mastocitos, refuerzan la pared celular de éstos que contienen la histamina, de manera que ésta no puede ser liberada.

¿Puede protegerse a los niños pequeños de futuras alergias?

La lactancia materna constituye la mejor protección frente a las alergias alimentarias. Existen estudios que demuestran que los niños que lactan hasta los seis meses de edad tienen un riesgo menor durante su vida que los niños que reciben leche artificial. Por otra parte, los expertos recomiendan introducir los alérgenos más frecuentes, como la leche de vaca, los huevos, el pescado o los frutos secos, como muy pronto a partir del segundo año de vida.

¿Forman parte las alergias de las modernas enfermedades del mundo civilizado?

Con toda seguridad no, ya que los grandes médicos de la Antigüedad como Hipócrates (400 a. J.C.) y Galeno (200 d. J.C.) describieron las típicas reacciones de una intolerancia alimentaria. Y hace 400 años, ya se hablaba de determinadas alergias alimentarias, por ejemplo, a ciertas frutas, especias, leche de vaca o huevos de gallina, aun cuando por aquel entonces nadie conocía las bases de este tipo de alergias.

¿El organismo no responde siempre igual ante una intolerancia alimentaria?

La reacción del organismo ante una alergia varía mucho. Dependiendo del lugar donde el alérgeno se encuentre con los anticuerpos se produce diarrea, asma o rinitis. Además, el sistema inmunológico fabrica distintos anticuerpos: los anticuerpos IgE (inmunoglobulina E), que con frecuencia aparecen en las alergias alimentarias, se ponen de manifiesto entre veinte y treinta minutos después del contacto con el antígeno. Sin embargo, si el organismo fabrica anticuerpos IgG, la alergia tarda en manifestarse hasta tres días.

A la caza
del desencadenante:
¿cómo encontrar al culpable?

En ocasiones, encontrar el desencadenante de una alergia, o un transtorno similar a la alergia, puede constituir un trabajo detectivesco. Los síntomas no aparecen siempre inmediatamente después de una comida, sino algunas horas o días después. Son necesarios algunos conocimientos especializados y algo de experiencia para atribuirlos al desencadenante correcto.

Diario alimentario: exponga su dieta

Un primer e importante punto de partida es llevar un diario alimentario en el que se debe anotar con exactitud lo que se ha bebido y comido y cuándo. Es importante que no se olvide ni del bocado más insignificante y que describa los alimentos con la mayor exactitud posible. ¿Se trata, por ejemplo, de pan de masa ácida o de pan de avena? ¿De qué es exactamente el bocadillo y qué lleva la ensalada? Incluso debe apuntar la cucharadita de nueces picadas. Sea lo más preciso posible. En ningún caso deje de apuntar ningún alimento, incluso aunque sospeche que no pueden desencadenar una alergia. En otra línea de su diario alimentario anote cuándo y qué síntomas han aparecido, y también cuándo han cedido. Todo ello da al médico una magnífica base para nuevos estudios.

La búsqueda del anticuerpo: pruebas médicas

Basándose en su diario alimentario, el médico estudiará y analizará determinados alérgenos alimentarios para comprobar si su organismo reacciona ante ellos. Por regla general realiza una prueba cutánea. Para ello aplica el alérgeno estudiado o el jugo fresco del alimento sobre la piel por frotamiento o en la piel mediante una punción (prueba por frotamiento o prueba por puntura). Si el sistema inmunológico reacciona con enrojecimiento o la formación de un habón, implica que como mínimo el organismo posee anticuerpos contra ese alérgeno. No obstante, esto no significa que exista sintomatología. Además de las pruebas cutáneas, también puede determinarse directamente la presencia de los anticuerpos (IgE) en sangre necesarios para la instauración de una verdadera alergia con el RAST-test. Existen además muchos otros métodos analíticos pero que no siempre cumplen los criterios científicos de calidad (véase la tabla de la derecha).

Evitar las suposiciones

No existe ninguna prueba que asegure la existencia de una alergia. Las pruebas sólo demuestran que el organismo fabrica anticuerpos contra determinadas sustancias de los alimentos. Con frecuencia, las pruebas de este tipo encuentran más de un posible alérgeno. El diagnóstico seguro del causante de la sintomatología sólo se consigue con la ayuda de dietas diagnósticas y pruebas de provocación. Si existe una sospecha concreta de que determinado alimento es el desencadenante de la alergia, es útil una dieta de eliminación. Para ello, los alimentos sospechosos son eliminados en primer lugar de la dieta. Con ello el

➤ Esquema de las pruebas de alergia

Nombre	Procedimiento	Valoración
Prueba por frotamiento	Se frotan alimentos frescos sobre la piel	Sólo se descubren alérgenos ante los que el organismo reacciona con intensidad
Prueba por puntura	Se aplican sobre la piel preparados de alérgenos, realizando después pequeñas punciones para que penetren	Pocas veces se descubren alérgenos débiles
Prueba por rascado	Se aplican alimentos frescos sobre una zona cutánea previamente irritada	De las pruebas en las que sólo se irrita la piel es la mejor. En pocos casos se detectan alérgenos débiles
Prueba intradérmica	Los preparados de alérgenos son inyectados en las capas más profundas de la piel	Mucho más fiable que las pruebas sobre la piel
RAST-test, FEIA-test, EIA-test	Determinación de anticuerpos (IgE) en sangre	Sólo apropiada para la determinación de anticuerpos, pero no ofrece información sobre si dichos anticuerpos provocan síntomas alérgicos. Por sí sola no es suficiente
Análisis de IgG4 o IgG	Determinación de anticuerpos (IgG4) en sangre	Análisis muy cuestionado, ya que con frecuencia conduce a diagnósticos erróneos
Prueba de transformación linfocitaria	Determinación de células especiales de la sangre, implicadas en algunas alergias alimentarias, así como en otras enfermedades	Prueba muy controvertida, ya que conduce con frecuencia a errores de diagnóstico

Los desencadenantes de pseudoalergias u otras reacciones de intolerancia no alérgicas no reaccionan frente a estas pruebas de alergia. Se detectan básicamente mediante una dieta de búsqueda.

paciente debe permanecer asintomático. Seguidamente se va reintroduciendo en la dieta uno a uno los alimentos sospechosos, en la así llamada «prueba de provocación». De esta manera, si alguno de los alimentos contiene el alérgeno desencadenante del cuadro se provoca al sistema inmunológico, el cual desenmascara al culpable a través de la típica sintomatología alérgica.

Si no se puede descartar de manera concluyente ningún alimento, se establece una dieta básica hipoalergénica de patatas, arroz y lechuga, todo ello sin ningún otro ingrediente. Esta dieta básica sólo debe seguirse durante unos diez días y deben desaparecer todos los síntomas alérgicos. A continuación se inicia la dieta de búsqueda, en la que se van introduciendo los alimentos de manera progresiva, uno a uno, para comprobar si es o no un alérgeno. Ese tipo de dietas diagnósticas deben realizarse siempre bajo la supervisión de un médico experimentado.

Comprar
inteligentemente:
leer bien la lista de ingredientes

Tener en cuenta la letra pequeña

Según las nuevas normas europeas sobre etiquetado, en el envase de los alimentos deben hacerse constar los doce desencadenantes de alergias e intolerancias alimentarias más importantes, sea cual sea su concentración dentro del producto. De hecho, incluso cantidades muy pequeñas pueden desencadenar un cuadro alérgico.

Las personas que padecen una alergia alimentaria deberían tener en cuenta esa información y leer con atención la lista de ingredientes. En la tabla de la página 15 encontrará la lista de esos doce grupos de sustancias de declaración obligatoria. Además, en la solapa posterior de este libro puede encontrar en qué alimentos pueden esconderse y cómo sustituirlos. Por otra parte, comprobará la manera de compensar la pérdida de vitaminas y sustancias minerales que pueden aparecer por la supresión de la dieta de determinados alimentos básicos, como los productos lácteos o los cereales.

La persona que sufre una alergia a un componente distinto de los doce listados también se beneficia de las nuevas normas de etiquetado. Antes, no se daban datos exactos sobre los ingredientes que estaban presentes en un porcentaje menor al 25 %. Éste era el caso de los preparados de fruta en el yogur, la masa de chocolate en las galletas, etcétera. Los alérgicos al kiwi no podían consumir sin peligro una crema con frutas, ya que no tenían forma de saber si contenía kiwi. Asimismo, un alérgico a la zanahoria debía renunciar a todos los alimentos que en su lista de ingredientes incluyeran una mezcla de hortalizas.

En la actualidad es obligatorio indicar la composición de esas mezclas ingrediente a ingrediente. No obstante, estas normas de etiquetado contemplan algunas excepciones.

Con frecuencia, en el envase podemos encontrar indicaciones del tipo «contiene trazas de

> **➤ Casi veinte millones de afectados**
>
> No es necesario reseñar la composición exacta:
> - en envases muy pequeños, por ejemplo, en los tarritos de mermelada que todos hemos visto en los desayunos de los hoteles;
> - en los alimentos no envasados que, por ejemplo, se venden en carnicerías, charcuterías o en los mercados semanales;
> - en restaurantes y cantinas;
> - en mezclas para sazonar, confituras, chocolates, zumos y néctares de fruta que representan menos de un 2 % del alimento, siempre que no se trate de uno de los doce alérgenos principales (véase la tabla de la página 15).

proteína de cacahuete». Con ello, el fabricante quiere asegurarse. Puede ocurrir que restos de sustancias producidas al mismo tiempo o poco después en la misma sala o con el mismo equipamiento pasen al producto en cuestión. Y estas pequeñas cantidades pueden ser suficientes para, en caso de alergias graves, provocar una intensa reacción defensiva. En último extremo, ante esta información cada uno debe decidir si asume el riesgo de consumir un producto alimentario que puede contener «trazas» de un alérgeno.

Manzanas: todo depende de la variedad

Buena noticia para las personas alérgicas a la manzana: es posible que la persona que no tolera esta deliciosa fruta no haya elegido la variedad correcta. De hecho, la elección entre la Jonagold, la Boskoop o la Golden Delicious determina con frecuencia si la fruta se tolerará bien o no.

Según la variedad, bajo la piel se esconden los distintos alérgenos. Así, las variedades Boskoop, Jamba, Jonathan, Gravensteiner y Berlepsch raramente crean problemas, mientras que la Cox Orange, la Granny Smith, la Golden Delicious, la Jonagold y la Braeburn producen con mayor frecuencia quemazón en los labios, picor en la boca o congestión nasal. El ejemplo de la manzana demuestra con claridad que algunas alergias aparecen sólo si en la dieta se introduce un desencadenante muy determinado. Aunque el sistema inmunológico no muestre ninguna re-

> **➤ Los doce principales alérgenos**

Estos importantes desencadenantes de intolerancia alimentaria deben constar en todos los envases de productos alimentarios:
> ❭ huevo,
> ❭ cacahuetes,
> ❭ pescado,
> ❭ cereales que contengan gluten (trigo, cebada, centeno, avena, espelta, kamut),
> ❭ crustáceos,
> ❭ leche y productos lácteos,
> ❭ frutos secos (almendra, avellana, nuez, anacardo, nuez pecana, nuez de Brasil, pistacho, nuez de Macadamia),
> ❭ dióxido de azufre y sulfitos,
> ❭ apio,
> ❭ mostaza,
> ❭ semillas de sésamo,
> ❭ soja y productos derivados.

acción con la variedad Boskoop, puede rebelarse frente a la variedad Braeburn, ya que el alérgeno especial de esta última dispara la reacción alérgica, como una llave que abriera sólo una cerradura.

En los fogones de casa:

cocinar teniendo en cuenta las alergias

Los alérgenos se evaporan

¿Mordisquea una zanahoria y aparece hormigueo en su lengua? ¿Muerde una pera e inmediatamente le arden los labios? ¿O disfruta del fresco dulzor de un albaricoque y al poco aparece una erupción cutánea? Con frecuencia, para las personas alérgicas, contar con verduras y frutas crudas, las cuales son recomendadas como una magnífica fuente de sustancias vitales, es una tarea complicada. Algunos ya no comprueban si ante una sopa de zanahoria, una compota de pera o unos albaricoques un poco asados desarrollan también una reacción alérgica. Lástima, ya que una y otra vez se ha comprobado que los alérgenos de muchos alimentos se degradan a altas temperaturas, de manera que se reduce mucho el riesgo de alergia. La mayoría de los alérgenos están compuestos por cadenas proteicas que se alteran a altas temperaturas, en algunos casos tanto que el organismo deja de considerarlas como una sustancia extraña peligrosa y deja de reaccionar ante ellas. Una buena noticia para todos aquellos que reaccionan sintomáticamente con los alimentos crudos. Un poco de calor, y en muchos casos el sistema inmunológico los tolera sin problemas. Y no tema: el breve golpe de calor no altera en absoluto las sustancia minerales y sólo afecta a una pequeña parte de las vitaminas. Las duras células de las verduras crudas se rompen al calentarlas y de esta manera liberan su valiosa provitamina A.

Simplemente pelar los alérgenos

Algunas personas hacen responsable de sus síntomas alérgicos a los productos con los que se rocía las frutas y verduras. Si pela la pieza y de esta manera elimina los residuos que contiene, los síntomas alérgicos pueden desaparecer. No obstante, es un error: al pelar la fruta, por ejemplo, la manzana lo que se elimina son los alérgenos de la fruta, que se concentran en y debajo de la piel, de manera que muchos alérgicos a la manzana la toleran mucho mejor pelada que sin pelar, e incluso pueden desaparecer por completo los síntomas. Asimismo, las personas que ante un plato de pimientos reaccionan con ardor de estómago y edema de las mucosas, constatan que estos síntomas no aparecen si los pelan. Lo que es válido para algunas variedades de frutas y hortalizas también vale para los cereales. Dado que la harina integral contiene todo el grano junto con la cáscara, no tan sólo es más rico en fibra, vitaminas y minerales, sino también en posibles alérgenos. Así pues, para algunas personas puede resultar más sano consumir pan y harina blancos y arroz refinado que las variantes integrales más ricas en nutrientes.

El almacenamiento prolongado o el marinado aumentan la concentración de histamina

Durante su almacenamiento los alimentos producen catabolitos mucho antes de que el alimento se eche a perder y esté a punto de ir al cubo de la basura. Entre esas sustancias de desecho se encuentra la histamina, la cual en algunas personas provoca reacciones de intoleran-

➤ Cuidado, peligro de histamina

La histamina es precisamente la sustancia que el sistema inmunológico libera cuando existe una alergia y que pone en marcha una reacción en cascada. Sin embargo, cuando la histamina se encuentra en los alimentos, ésta no desencadena una alergia, ya que no llega a la sangre y el organismo no fabrica anticuerpos contra ella. A pesar de todo, la histamina puede desencadenar importantes reacciones de intolerancia. Si el organismo no es capaz de degradar con rapidez la histamina porque los enzimas necesarios para ello trabajan con demasiada lentitud, aparecen los síntomas habituales de las alergias, aunque en realidad no se trate de una verdadera alergia.

Existe un gran número de alimentos en los que con regularidad se detecta un alto contenido en histamina. Entre ellos se encuentran:

> el plátano (sobre todo con un contenido elevado de las aminas biógenas, similares a la histamina);
> las conservas de carne, en especial en salmuera o ahumadas;
> el queso de curación larga;
> las verduras fermentadas (por ejemplo, col agria);
> los productos preparados con pescado;
> los vinos blancos y tintos.

cia similares a las alergias, incluso cuando no se trate de una verdadera alergia (véase el recuadro). Así, el pescado fresco o ultracongelado no contiene prácticamente histamina, mientras que en el pescado almacenado, por ejemplo, enlatado, ésta puede alcanzar valores muy elevados. Lo mismo ocurre con los niveles de histamina de los quesos de curación prolongada, la col agria, las conservas de pescado, los vinos de crianza, así como los ahumados y las salmueras.

El simple marinado de un asado durante toda la noche hace aumentar los niveles de histamina. Así pues, en algunos casos es mejor prescindir de todos esos productos.

El níquel de ollas y sartenes

Por lo general, la alergia al níquel se manifiesta en forma de una alergia de contacto, cuando, por ejemplo, la hebilla del cinturón, la bisutería o las gafas contienen níquel, lo que por contacto directo con la piel provoca enrojecimiento y pápulas. También debe tenerse en cuenta el contenido de níquel de los alimentos. En especial en las sartenes y las ollas de acero fino, que pueden desprender níquel. Si no existe una intolerancia específica, esos valores de níquel no suponen ningún riesgo para la salud. Sin embargo, las personas alérgicas deberían tener cuidado con los alimentos fermentados o ácidos, por ejemplo, el ruibarbo o la col agria. Esos alimentos provocan que se desprenda mucho níquel de la olla de acero fino. Los químicos alimentarios también han detectado valores elevados en el agua del té o el café calentada con un hervidor cuya resistencia está en contacto directo con el agua. No obstante, la capa natural de cal que se forma sobre todo en zonas de aguas duras evita la liberación de níquel de forma natural. Pero al limpiar la cal los niveles de níquel pueden aumentar de manera espectacular. Así pues, después de limpiar los utensilios, ha de hervirse agua y descartarla varias veces. Otra opción es la utilización de un hervidor que posea una resistencia cubierta y que no entre en contacto directo con el agua.

Comer fuera de casa:
reconocer
con seguridad los posibles alérgenos

El bar como situación de riesgo

Cuando los compañeros se reúnen a comer a mediodía en el bar y disfrutan de una sopa, un bistec y una cuajada es cuando empieza el estrés para las personas alérgicas: ¿qué puedo comer sin tener miedo a sufrir una crisis alérgica? Algunas personas saben perfectamente a qué son alérgicos y evitan a conciencia los platos sospechosos: puede ser que la sopa contenga apio, así que mejor una ensalada verde sin condimentar que pueda aliñar con aceite y vinagre. Por el contrario, otros no saben todavía con exactitud dónde puede existir riesgo de alergia para ellos, mientras que existe un tercer grupo de alérgicos que tienen una larga lista de intolerancias. Así pues, sólo restan aquellos alimentos que pueden ser tolerados prácticamente por todo el mundo. Entre éstos podemos encontrar la lechuga, el aceite de oliva, las patatas y la carne, así como los espárragos, la col, las espinacas y el calabacín. Asimismo, muchos de los platos de este libro puede llevarlos al trabajo. Si cuenta con un horno microondas, prepare su almuerzo por la noche, de manera que al día siguiente sólo tenga que calentarlo. Aquellas personas que por la noche no tienen ni tiempo ni ganas de cocinar, deberían hablar con el personal del bar para informarse de qué mezclas, aditivos y productos precocinados utilizan. De esta manera les será más fácil valorar cuándo pueden compartir el almuerzo con sus compañeros y cuándo es mejor que lo eviten.

➤ El «síndrome del restaurante chino»

En EE UU se ha detectado que con frecuencia, tras una visita a un restaurante chino, aparecen síntomas alérgicos, lo que en la prensa se ha bautizado como «síndrome del restaurante chino». De hecho, no se trata de una verdadera alergia, sino de una intolerancia. Con rapidez, las sospechas señalaron como culpable al glutamato, un potenciador del sabor utilizado con frecuencia en la cocina asiática. Desde hace tiempo, estudios científicos han cuestionado la relación de este aditivo, utilizado también con frecuencia en nuestra cultura, con el síndrome. Posiblemente, este síndrome está causado por otros ingredientes como la histamina. Dado que los síntomas no aparecen necesariamente sólo después de la visita a un restaurante chino, deberíamos hablar (de manera políticamente correcta) simplemente del «síndrome del restaurante».

Pedir en el restaurante

Por regla general, la carta de un restaurante ofrece mayor variedad que el menú de un bar. No obstante, en este caso muchos alérgicos tampoco se libran de un turno de ruegos y preguntas. Según el tipo de alergia debe investigarse qué es-

➤ Lo que se puede y no se puede pedir en un restaurante

Se puede

- ☺ Llamar por teléfono antes de una visita programada al restaurante, exponer nuestros problemas alérgicos y aclarar posibles platos
- ☺ Pedir platos sencillos, formados por pocos ingredientes distintos
- ☺ Pedir siempre las salsas a parte en una pequeña salsera
- ☺ A ser posible, acudir al restaurante fuera de las horas punta, de manera que la cocina y el servicio dispongan de más tiempo para satisfacer eventuales peticiones
- ☺ Si la carta no cuenta con platos adecuados, o el servicio y la cocina no muestran comprensión, abandone el local antes de arriesgarse a sufrir una reacción alérgica

No se puede

- ☹ Acudir a bufés libres en los que no hay nadie a quien preguntar y en los que los cubiertos para servir se utilizan para distintos platos
- ☹ Visitar restaurantes asiáticos cuando se padece una intolerancia a los productos de la soja o a los frutos secos, los cuales se utilizan con frecuencia en este tipo de establecimientos
- ☹ Consumir alcohol, ya que intensifica la tendencia alérgica; es mejor beber agua o cerveza sin alcohol
- ☹ Una carta muy extensa implica la utilización de muchos productos precocinados repletos de ingredientes probablemente causantes de intolerancias
- ☹ Llevar a la conversación en la mesa su problema alérgico

conde la salsa de la ensalada, si por encima de las hortalizas se han echado frutos secos o semillas, si la salsa del asado lleva salsa de soja para aromatizar o si el sorbete se ha preparado con huevo. Con todas esas preguntas no siempre nos ganamos la simpatía del camarero. Si no conseguimos una respuesta concluyente es mejor jugar sobre seguro. Es decir, una ensalada verde sin aliño y utilizar las vinagreras. Como plato principal se puede pedir un bistec o un filete a la plancha sin ningún aditivo ni salsa, acompañado de patatas asadas o arroz blanco. Según la estación pueden añadirse calabacín, coles de Bruselas o espárragos. Para postre puede valer un sorbete de limón (clásico, sin huevo). Si se pregunta con educación y se cuenta con algo de comprensión por parte del servicio y de la cocina, las personas alérgicas no tienen por qué temer la visita al restaurante, o salir del local hambrientos o con una crisis alérgica.

¿Cómo se lo digo a mi anfitrión?

¿Le han invitado a cenar? Probablemente llamará para dar las gracias y confirmar su asistencia. En ese momento puede aprovechar para informar de su problema con determinados alimentos. Ya que nada es peor para un anfitrión que comprobar esa misma noche que, debido, por ejemplo, a una intolerancia a la histamina, no se puede disfrutar del entrante de salmón ahumado ni del asado con vinagreta. Buscar una alternativa en ese momento es difícil y causa estrés. Mejor aclarar las cosas de antemano y sugerir que sería ideal un pequeño filete de salmón fresco y, en lugar del asado, un bistec a la plancha. Asimismo, avise de antemano si va a tomar vino. En este caso también puede buscarse una alternativa como el mosto. O sea un conductor responsable y beba sólo agua.

Así de fácil:
comer y beber
teniendo en cuenta las alergias

¿En caso de alergia es preferible que prescinda del azúcar?

El azúcar sólo se convierte en un alimento de riesgo cuando el organismo carece de los enzimas para descomponerla. Es conocida la intolerancia a la lactosa, el azúcar de la leche. Intolerancias similares se producen en el caso de la fructosa, el azúcar de la fruta y mucho más raramente con el azúcar refinado habitual. En esos casos, no sólo debe prescindirse del azúcar, sino de aquellos productos endulzados con ella, así como de alimentos como el plátano, el mango o la zanahoria tierna, los cuales también contienen azúcar.

¿En caso de alergia es aconsejable el consumo de productos biológicos?

Los alimentos biológicos tienen el mismo riesgo de alergia que los convencionales. Con frecuencia se dice que las manzanas de cultivo biológico provocan menos alergias. Probablemente, la causa de ese fenómeno descansa en las distintas variedades de manzana. En el cultivo biológico de la manzana se opta por variedades antiguas más resistentes, las cuales, al contrario que muchas variedades nuevas de esa fruta, por regla general contienen menos alérgenos independientemente de que su cultivo sea biológico, sin sustancias químicas, o completamente convencional, con el uso de productos químicos.

¿Cuando existe una alergia a la leche de vaca es útil cambiar a la de cabra?

Existen distintas proteínas de la leche que pueden provocar alergia. Algunos de esos alérgenos también están presentes en la leche de cabra y la de oveja. Si éstos son los desencadenantes de la alergia a la proteína de la leche, el cambio a la de cabra no soluciona nada. La única alternativa real y segura a la leche de vaca es la de arroz (en el mercado se encuentra con frecuencia como «bebida de arroz»). Antes de utilizar la leche de soja o de almendra como sustitutos de la leche de vaca, asegúrese de que su sistema inmunológico no reacciona también frente a esos alérgenos frecuentes.

¿Está permitido el café?

Muchas personas reaccionan al café con un aumento de la presión arterial, un pulso acelerado o intranquilidad. Pero éstos no son síntomas de una alergia, sino conocidas consecuencias del consumo de cafeína. El café por sí mismo no provoca ningún tipo de alergia. Aquellos que toman café con leche y sufren síntomas alérgicos, deben aclarar con su médico la posible existencia de una alergia a la proteína de la leche. Para ello es suficiente con una cantidad pequeña de leche.

¿Pueden algunos alimentos favorecer o reducir la tendencia a sufrir una alergia?

Se sabe que, por ejemplo, el alcohol empeora la sintomatología alérgica. Así pues, las personas alérgicas no deberían beber alcohol durante las comidas. Sin embargo, entre los alimentos también existen sustancias que frenan los síntomas. Los ácidos grasos omega-3 son elementos utilizados en la síntesis de los reguladores que inhiben la inflamación y que pueden mejorar los síntomas de la alergia. Estos ácidos grasos extremadamente sanos se encuentran sobre todo en el pescado azul y el aceite de linaza y de nuez, por lo que son tabú para algunas personas con alergia.

¿Cómo debo alimentar a un lactante aquejado de alergia?

Los bebés con síntomas alérgicos deben ser tratados en la consulta de un alergólogo. Con su ayuda, los padres podrán desarrollar un concepto dietético. Por lo general, si no es posible la lactancia materna, el lactante es alimentado con hidrolizados, es decir, proteínas desnaturalizadas en mayor o menor grado. A continuación se introducen las papillas. Si se opta por los tarritos deben elegirse aquéllos con pocos ingredientes, ya que cuanto menor sea el número de ingredientes tanto menor será el riesgo de alergia.

¿Qué harina debo emplear para hornear en caso de intolerancia al gluten?

Si descartamos la harina de trigo y de centeno por su contenido en gluten, debe buscarse en el supermercado o en tiendas especializadas mezclas para hornear sin gluten. Con la mezcla de almidón de patata y harinas de maíz y de arroz se obtienen buenos resultados. Además, en tiendas especializadas también se suele encontrar la nutritiva harina de *teff*. Combinada con la harina de alforfón y la fécula de maíz puede obtenerse una masa que formará deliciosos panes y pasteles.

¿En el caso de los alérgicos al huevo, existe algún sustituto de los huevos de gallina?

Las tiendas especializadas y las farmacias disponen de sucedáneos de huevo. Este polvo formado por componentes de la soja (¡atención los alérgicos a la soja!) debe mezclarse con agua (según las indicaciones del paquete) para crear una masa. Aquellas personas no alérgicas a la soja también pueden añadir a la masa una cucharada colmada de harina de soja y dos cucharadas de agua por huevo. El color amarillo se consigue con un pellizco de azafrán en polvo.

¿Qué productos lácteos están permitidos si existe una intolerancia a la lactosa?

Lo permitido depende del grado de intolerancia. Con frecuencia, los productos con bajo contenido en lactosa crean pocos o ningún problema. Entre ellos se encuentran el yogur y otros productos lácteos ácidos, el queso curado y la mantequilla. Por otra parte, todos los supermercados disponen de muchos productos lácteos sin lactosa. Además de leche, existen también yogures, cuajadas, queso fresco, budines, leche chocolateada, batidos y nata.

Disfrutar cocinando, **horneando** y comiendo platos **hipoalergénicos**

Los huevos, la harina, los frutos secos y la soja, junto con otros ocho grupos de alimentos, deben especificarse en la etiqueta de todos los alimentos como principales desencadenantes de alergias e intolerancias. Pero con frecuencia, las personas alérgicas buscan inútilmente recetas modernas y deliciosas que prescindan por completo de estos doce alimentos problemáticos.

Esto se acabó. En las siguientes páginas encontrará alrededor de cien modernas recetas -desde el *müsli* del desayuno hasta la tarta de manzana-. Todas ellas son de uso cotidiano y constituyen una forma ligera y simple de cocinar. Además, nuestras propuestas son deliciosas, con ingredientes sanos y variados y con muchas variantes. De esta manera se recupera la ilusión por cocinar y comer sin preocupación. Las recetas demuestran que las alergias, aun cuando impliquen varios alimentos, no deben limitar en ningún caso las ganas de cocinar y disfrutar de la comida.

Müsli de tortitas de arroz con piña

PARA 2 PERSONAS

1/4 de piña
5 tortitas de arroz
1 plátano
150 ml de zumo de piña
PREPARACIÓN: 10 minutos

1. Pelar el cuarto de piña y retirar el troncho central. Cortar la pulpa a dados de tamaño medio y repartir en dos cuencos individuales. Romper las tortitas de arroz y repartir por encima de los dados de piña.

2. Pelar el plátano y triturar con la batidora junto con el zumo de piña. Echar el puré sobre el *müsli*.

CONSEJO

Aquellas personas que toleran el gluten pueden preparar este *müsli* tranquilamente con copos de avena o de maíz en lugar de las tortitas de arroz.

Valor nutricional por ración:

235 kcal • **1 g** proteínas • **0 g** grasas • **51 g** carbohidratos

Cereales con frutas del bosque

PARA 2 PERSONAS

300 g de frutas del bosque variadas (frescas o congeladas)
100 g de copos de maíz (sin gluten)
150 ml de zumo de piña
150 ml de bebida de arroz
PREPARACIÓN: 10 minutos

1. Lavar con cuidado las frutas del bosque y secarlas. Descongelar las frutas congeladas sumergiéndolas brevemente en un poco de agua caliente o en el microondas. Repartir las frutas en dos cuencos individuales.

2. Repartir los copos de maíz sobre las frutas. Mezclar el zumo de piña y la bebida de arroz a partes iguales. Servir de inmediato

CONSEJO

Por regla general, los copos de maíz industriales también incluyen trigo, por lo que también contienen gluten. Si éste no supone ningún problema, puede preparar el *müsli* con los copos de maíz normales o con copos de otros cereales. Por el contrario, si tiene que consumir productos sin gluten deberá comprar copos de maíz sin gluten, que viene marcado en el paquete con una etiqueta específica. Aquellas personas que toleran la leche pueden sustituir la bebida de arroz por leche normal (1,5 % de grasa).

Valor nutricional por ración:

265 kcal • **7 g** proteínas • **2 g** grasas • **53 g** carbohidratos

Cereales con plátano

PARA 2 PERSONAS

2 manzanas
2 sobres de azúcar vainillado
100 ml de zumo de pera
2 plátanos
100 ml de bebida de arroz
100 g de copos de maíz (sin gluten)

PREPARACIÓN: 10 minutos

1. Lavar las manzanas, cortarlas por la mitad y retirar el corazón. Cortar las mitades en finas rodajas. Repartir el azúcar vainillado en una sartén y fundirlo a fuego medio para caramelizarlo. Incluir brevemente la manzana en el caramelo. Bañarlo todo con el zumo de pera y dejar hervir a fuego lento con la sartén tapada.

2. Pelar los plátanos. Triturar con la batidora uno de los plátanos junto con la bebida de arroz. Cortar el segundo plátano en rodajas.

3. Repartir los copos de maíz, la manzana y el plátano en dos cuencos individuales. Bañar con la leche de plátano y servir en seguida.

CONSEJO

Es frecuente que la manzana cruda no sea bien tolerada. Por el contrario, un poco cocinada no supone ningún problema. No obstante, si la manzana cocida le provoca problemas de estómago, sustitúyala por trozos de melón. Aquellas personas que toleran la leche sin problemas pueden sustituir la bebida de arroz por leche normal (1,5 % de grasa). Por otra parte, si tolera el gluten, puede optar por los copos de maíz habituales o por los de otros cereales.

Valor nutricional por ración:

420 kcal • **6 g** proteínas • **2 g** grasas • **95 g** carbohidratos

Müsli de coco

PARA 2 PERSONAS

1 sobre de azúcar vainillado
100 g de copos de alforfón
2 cucharadas de escamas grandes de coco
100 ml de zumo de manzana
100 g de crema de coco

PREPARACIÓN: 10 minutos

1. Repartir el azúcar vainillado en una sartén y fundirlo a fuego medio. Añadir los copos de alforfón y las escamas de coco y remover hasta que se doren ligeramente. Mojar con un poco de zumo de manzana hasta que los copos se suelten.

2. Mezclar los copos de alforfón y las escamas de coco caramelizados con el resto del zumo de manzana y la crema de coco. Repartir el *müsli* en dos cuencos individuales y servir de inmediato.

CONSEJO

Si no existe intolerancia al gluten, se pueden sustituir los copos de alforfón por los de otros cereales.

Valor nutricional por ración:

295 kcal • **7 g** proteínas • **10 g** grasas • **43 g** carbohidratos

Panecillos dulces de melón

PARA 2 PERSONAS

1/2 melón cantaloupe pequeño
1 plátano
zumo de limón
1 sobre de azúcar vainillado
4 panecillos (sin gluten)
2 cucharaditas de margarina
(sin soja ni productos lácteos)
200 ml de zumo de naranja

PREPARACIÓN: 10 minutos

1. Retirar las pepitas del melón. Soltar la pulpa de la cáscara con ayuda de una cuchara y cortarla a dados. Aplastar los dados de melón con un tenedor y dejar que escurran en un colador. Recoger el jugo.

2. Pelar el plátano y triturarlo con unas gotas de zumo de limón, el azúcar vainillado y la pulpa del melón. Abrir los panecillos. Untar las dos mitades con un poco de margarina y repartir por encima la crema de melón.

3. Mezclar el zumo de naranja con el jugo recogido del melón. Servir los panecillos acompañados de los zumos.

CONSEJO

Aquellas personas que no toleran la fruta con pepitas pueden sustituir el melón por tres peras blandas. Para ello, pelarlas, cortarlas por la mitad y descorazonarlas. Después, proceder tal como se ha descrito. Si el gluten no supone ningún problema, los panecillos sin gluten pueden sustituirse por unos normales.

Valor nutricional por ración:

500 kcal • **12 g** proteínas • **7 g** grasas • **102 g** carbohidratos

Rebanadas frutales con jamón

PARA 2 PERSONAS

4 rebanadas de pan (sin gluten)
2 cucharaditas de concentrado de tomate
8 lonchas finas de jamón asalmonado o serrano
o cocido
4 kiwis
pimienta

PREPARACIÓN: 5 minutos.

1. Untar las rebanadas de pan con el tomate y cubrir cada una con dos lonchas de jamón asalmonado.

2. Pelar los kiwis y cortar en rodajas gruesas. Colocar las rodajas de kiwi sobre las lonchas de jamón y condimentar con un poco de pimienta. Emplatar las rebanadas en raciones y servir de inmediato.

CONSEJO

Aquellas personas hipersensibles a la histamina deben sustituir el jamón asalmonado por el cocido. El contenido de histamina de este último es sensiblemente menor o incluso inexistente. Asimismo, en lugar de untar el pan con tomate úntelo con una pasta de pimiento casera (véase la página 32).

Valor nutricional por ración:

650 kcal • **25 g** proteínas • **37 g** grasas • **56 g** carbohidratos

Bocadillo de ave

PARA 2 PERSONAS

2 baguetinas (sin gluten)
1/4 de pepino
1 cucharada de *ajvar* (puré de pimiento)
10 hojas de rúcula
2 tomates grandes
4 lonchas finas de fiambre de pavo

PREPARACIÓN: 15 minutos

1. Abrir longitudinalmente los panecillos y retirar la miga de la mitad inferior. Pelar el pepino y picarlo finamente. Mezclar los da-ditos con el *ajvar* y la miga. Rellenar con la mezcla la mitad inferior del panecillo.

2. Lavar la rúcula, secarla y retirar el tallo duro. Picar las hojas groseramente. Lavar los tomates y retirar el pedículo. Cortarlos en rodajas.

3. Cubrir cada una de las mitades rellenas de los panecillos con la rúcula, las rodajas de tomate y 2 lonchas de fiambre de pavo. Tapar el panecillo con la mitad superior y servir.

CONSEJO

Las personas que no tengan problemas con el gluten pueden preparar tranquilamente el bocadillo con pan normal. En personas muy hipersensibles, el tomate puede provocar una reacción contra la histamina. En este caso, es mejor preparar el bocadillo con un pimiento pequeño cortado a tiras.

Valor nutricional por ración:

305 kcal • **23 g** proteínas • **6 g** grasas • **41 g** carbohidratos

Batido de desayuno

PARA 2 VASOS

**250 g de frutas del bosque (según
la temporada, frescas o
congeladas)**
zumo de limón
2 sobres de azúcar vainillado
200 ml de bebida de arroz
1 cucharadita de cacao

PREPARACIÓN: **10 minutos**

1. Lavar bien las frutas del bosque y secarlas. Dejar descongelar
un poco las frutas congeladas. Triturar las frutas del bosque junto
con unas gotas de limón, el azúcar
vainillado y la bebida de arroz con
la batidora.

2. Servir la bebida en dos vasos
altos y espolvorear por encima 1/2
cucharadita de cacao en cada uno.
Servir con una cañita.

CONSEJO

**Esta rápida y nutritiva
bebida de desayuno también
es muy sabrosa con yogur o
kéfir en lugar de la bebida
de arroz, naturalmente sólo
si no tiene problemas de
tolerancia a los productos
lácteos. Si sufre de
hipersensibilidad a la
histamina es mejor que
renuncie al cacao. Aromatice
el batido con canela.**

Valor nutricional por ración:

115 kcal • **4 g** proteínas • **2 g** grasas • **18 g** carbohidratos

Reconstituyente de frutas del bosque

PARA 2 VASOS

100 g de frutas del bosque variadas (frescas o congeladas)
1 sobre de azúcar vainillado
100 ml de agua mineral
1 plátano
2 kiwis
200 ml de zumo de pera

PREPARACIÓN: 10 minutos

1. Lavar con cuidado las frutas del bosque y secarlas. Dejar descongelar un poco las frutas congeladas. Triturar con la batidora las frutas del bosque con el agua y el azúcar vainillado.

2. Pelar el plátano y los kiwis y picar groseramente. Triturar la fruta con el zumo de pera.

3. Verter la mezcla de plátano y kiwi en dos vasos. Tirar por encima y con cuidado la mezcla de las frutas del bosque sobre el dorso de una cuchara, de manera que se formen dos capas. Servir de inmediato.

VARIANTE

¿Mejor sin kiwi? Entonces, prepare sencillamente la bebida con la pulpa de un mango pequeño.

Valor nutricional por ración:

170 kcal • **2 g** proteínas • **1 g** grasas • **39 g** carbohidratos

Mezcla de sandía y mango

PARA 2 VASOS

250 g de sandía
1/2 mango
100 ml de zumo de manzana
agua mineral para diluir

PREPARACIÓN: 10 minutos

1. Quitar las pepitas a la sandía. Retirar la cáscara de la fruta y cortar la pulpa en dados grandes.

2. Pelar el mango y separar la pulpa del hueso. Triturar con la batidora la pulpa del mango junto con los dados de sandía y el zumo de manzana.

3. Servir en dos vasos altos y diluir con agua mineral. Servir la bebida de inmediato.

CONSEJO

Si tiene el estómago delicado es mejor que utilice agua mineral sin gas.

Valor nutricional por ración:

125 kcal • **1 g** proteínas • **1 g** grasas • **28 g** carbohidratos

Pasta de aguacate

PARA 2 PERSONAS

1 cebolla roja pequeña
1 diente de ajo
1 tomate maduro pequeño
1 cucharada de aceite de oliva
1/2 manojo de albahaca
1 aguacate maduro
1 cucharadita de zumo de limón
sal yodada
pimienta

PREPARACIÓN: 15 minutos

1. Pelar la cebolla y el ajo y picarlos finos. Lavar el tomate y retirar el pedículo. Cortar en dados muy pequeños. Mezclar el tomate, la cebolla y el ajo picados con el aceite de oliva.

2. Lavar la albahaca, secar y picar finamente las hojas. Añadir a la mezcla del tomate.

3. Partir el aguacate longitudinalmente por la mitad y retirar el hueso. Sacar la carne del aguacate y aplastarla con un tenedor. Mezclar el puré de aguacate con la mezcla del tomate. Sazonar la pasta con el zumo de limón y salpimentar.

CONSEJO

La pasta de aguacate combina muy bien con la carne de ave. No obstante, también se integra bien con el arroz y es un aliño ideal para las patatas asadas.

Valor nutricional por ración:

280 kcal • **3 g** proteínas • **29 g** grasas • **3 g** carbohidratos

Pasta de pimiento

PARA 2 PERSONAS

1 pimiento rojo
1 cebolla pequeña
1 cucharadita de aceite de oliva
1/4 de cucharadita de comino molido
50 ml de caldo de verduras
sal yodada
pimentón picante
polvo de guindilla suave

PREPARACIÓN: 15 minutos

1. Lavar el pimiento, partirlo por la mitad y retirar las pepitas y las partes blancas del interior. Cortar el pimiento en trozos pequeños. Pelar la cebolla y picar muy fina. Calentar el aceite en una sartén y rehogar la cebolla. Retirar.

2. Saltear el pimiento troceado con el comino en la sartén caliente. Añadir el caldo. Cocer a fuego lento durante aproximadamente 5 minutos.

3. Triturar con la batidora el caldo del pimiento junto con la cebolla. Salpimentar y añadir el pimentón y el polvo de guindilla al gusto.

CONSEJO

Esta salsa es ideal para acompañar carnes. Así, por ejemplo, combina muy bien con un plato de cordero o buey. Con frecuencia, el pimiento cuesta de digerir. En ese caso puede ser útil retirar la piel. Para ello, cortar el pimiento a cuartos y meter en el horno precalentado a 250 ºC (en el gratinador), hasta que la piel forme ampollas. Dejar que se enfríe cubierto con un paño húmedo. Pelar.

Valor nutricional por ración:

45 kcal • **1 g** proteínas • **3 g** grasas • **3 g** carbohidratos

Pasta de calabacín

PARA 2 PERSONAS

150 g de calabacín
1 cebolla
1 diente de ajo
1 cucharada de aceite de oliva
1 cucharadita de caldo granulado
(sin apio)
1/2 manojo de perejil
1/2 limón biológico
1 patata cocida pequeña
1 cucharadita de vinagre de aceite
balsámico blanco
sal yodada
pimienta

PREPARACIÓN: 20 minutos

1. Lavar el calabacín y rallarlo groseramente. Pelar la cebolla y el ajo y picarlos finamente. Calentar el aceite y rehogar ambos. Añadir el calabacín, el caldo granulado y 8 cucharadas de agua. Cocer todo a fuego fuerte durante 5 minutos.

2. Lavar el perejil, secarlo y picar finamente las hojas. Lavar el limón con agua caliente y secar. Rallar muy finamente la piel y exprimir el zumo. Pelar la patata y rallarla finamente.

3. Triturar con la batidora la patata con el perejil, la ralladura de limón, el zumo de limón, el vinagre y el calabacín rehogado. Salpimentar la pasta.

CONSEJO

Servir la pasta de calabacín en sustitución de una salsa para acompañar verduras y carnes blancas.

Valor nutricional por ración:

45 kcal • **2 g** proteínas • **0 g** grasas • **8 g** carbohidratos

Relish de pepino

PARA 2 PERSONAS

1 tomate mediano
1 cebolla
1 cucharadita de aceite de oliva
1 cucharadita de zumo de limón
100 g de pepino
1/4 de manojo de perejil
1 guindilla pequeña
sal yodada
pimienta
azúcar

PREPARACIÓN: 20 minutos

1. Lavar el tomate y retirar el pedículo. Cortar a daditos. Pelar la cebolla y picarla muy finamente.

Calentar el aceite y rehogar la cebolla a fuego medio durante 3 minutos. Añadir el tomate y el zumo de limón. Dejar enfriar por completo.

2. Pelar el pepino y cortarlo a daditos. Lavar el perejil, secarlo y picar las hojas finamente. Añadir a la preparación de tomate junto con el pepino.

3. Lavar la guindilla, partir por la mitad y retirar las pepitas. Picar muy finamente. Sazonar el relish con la guindilla picada, la sal, la pimienta y un poco de azúcar.

CONSEJO

Este especiado relish combina especialmente bien con verduras y pollo a la parrilla. Aquellas personas que no toleran bien el pimiento, es preferible que prescindan de la guindilla. Para conseguir el punto picante, añada al relish jengibre rallado.

Valor nutricional por ración:

40 kcal • **1 g** proteínas • **3 g** grasas • **3 g** carbohidratos

Chutney de cebolla y piña

PARA 2 PERSONAS

1 cebolla roja
1/4 de piña pequeña
1 pimiento verde pequeño
1 cucharadita de aceite de oliva
1 cucharadita de vinagre de manzana
1 trozo de jengibre fresco
(aproximadamente de 2 cm)
1 cucharada de escamas de coco grandes
sal yodada
pimienta
azúcar

PREPARACIÓN: 20 minutos

1. Pelar la cebolla y picarla finamente. Pelar la piña y retirar el troncho central. Cortar la pulpa en dados de 1 centímetro.

2. Lavar el pimiento, cortar por la mitad y retirar las semillas y las partes blancas del interior. Cortarlo a dados pequeños.

3. Calentar el aceite en una sartén. Rehogar la cebolla y el pimiento durante 2 minutos. Añadir el vinagre y los dados de piña. Retirar del fuego y dejar enfriar en la sartén.

4. Pelar el jengibre y rallar finamente. Añadir al chutney junto con las virutas de coco. Salpimentar y añadir un poco de azúcar.

CONSEJO

¿No tolera el pimiento verde? En ese caso, utilice la variedad roja que mejor tolere o sustitúyalo por tomate. Para potenciar el sabor utilice un poco de zumo de limón o un poco más de jengibre o pimienta. Utilice este chutney para acompañar pescado, siempre que no tenga problemas con este último. También combina bien con carne de ave o con asados fríos.

Valor nutricional por ración:

175 kcal • **2 g** proteínas • **12 g** grasas • **14 g** carbohidratos

Ensalada tibia de espárragos
con melón y aguacate

PARA 2 PERSONAS

150 g de espárragos verdes
(frescos o de bote)
sal yodada
azúcar
1/2 melón cantaloupe pequeño
1/2 aguacate maduro
1/4 de manojo de cebollino
1/4 de manojo de melisa
2 cucharadas de vinagre balsámico
blanco
3 cucharaditas de zumo de naranja
1 cucharada de aceite de oliva
pimienta

PREPARACIÓN: 35 minutos

CONSEJO

Algunas personas alérgicas
también reaccionan con el
melón o el aguacate. Si ése
es su caso, sustituya el melón
por el mango y el aguacate,
según su gusto, por
espárragos cocidos o tomate
pelado. La ensalada de
espárragos es ideal como
entrante para 4 personas.

1. Lavar los espárragos, pelar el
tercio inferior y retirar la parte más
correosa. Cocer los espárragos en
agua con sal y un poco de azúcar
durante unos 15 minutos. Dejar
escurrir los espárragos de bote.

2. Mientras tanto, retirar las pepitas del melón y el hueso del aguacate. Pelar el melón y el aguacate.
Cortar ambos en tiras delgadas.

3. Escurrir los espárragos. Cortarlos según su longitud en tres o
cuatro trozos. Mezclar los espárragos calientes con el melón y el
aguacate.

4. Lavar el cebollino y la melisa y
secarlos. Picarlos finamente. Mezclar el vinagre, el zumo de naranja,
el aceite y las hierbas. Sazonar el
aliño con sal, pimienta y azúcar, y
aliñar la ensalada.

VARIANTE

También muy buena:
**Ensalada de salsifí negro
con piña y aguacate.** En
lugar de los espárragos, lavar
150 g de salsifí negro, pelar y
cortar los extremos. Cocer en
agua con sal y 2 cucharadas
de zumo de limón durante
unos 40 minutos. Escurrir y
trocear. En lugar del melón,
pelar 1/2 piña, retirar el
troncho central y cortar la
pulpa en tiras cortas y
estrechas. Preparar el
aguacate, las hierbas y el
aliño tal como se ha descrito
antes, y mezclarlos con el
salsifí y la piña.

Valor nutricional por ración:

215 kcal • **3 g** proteínas • **17 g** grasas • **12 g** carbohidratos

Ensalada de rúcula con sandía

PARA 2 PERSONAS

50 g de rúcula
1 manzana dulce pequeña
200 g de sandía
1 cucharada de vinagre balsámico blanco
1/2 cucharadita de zumo de limón
sal yodada
3 cucharaditas de aceite vegetal

PREPARACIÓN: 15 minutos

1. Lavar la rúcula, secarla y retirar los tallos duros. Lavar la manzana, cortarla a cuartos y retirar el corazón. Cortar a daditos.

2. Retirar las pepitas de la sandía. Hacer bolas con la ayuda de un vaciador de melones. Aliñar las bolas de sandía con el vinagre, el zumo de limón, la sal y el aceite. Añadir los dados de manzana.

3. Trocear groseramente las hojas de rúcula. Mezclar bien con las frutas.

CONSEJO

Esta ensalada es ideal como entrante. ¿No tolera bien la manzana cruda? En ese caso, sencillamente saltee los dados de manzana o sustitúyala por trozos de espárrago.

Valor nutricional por ración:

135 kcal • **1 g** proteínas • **8 g** grasas • **14 g** carbohidratos

Ensalada de maíz con *sauerkraut*

PARA 2 PERSONAS

50 ml de zumo de naranja
2 cucharadas de vinagre de vino blanco
1 zanahoria pequeña
1 pimiento rojo pequeño
1 cebolla roja pequeña
2 cucharadas de aceite de oliva
140 g maíz dulce (de lata)
100 g de *sauerkraut* (col agria)
sal yodada
pimienta
1/2 manojo de perejil

PREPARACIÓN: 30 minutos

1. Dejar reducir el zumo de naranja a fuego medio hasta la mitad. Añadir el vinagre.

2. Limpiar la zanahoria, pelarla y cortarla a daditos. Lavar el pimiento, partirlo por la mitad y retirar las pepitas y las partes blancas del interior. Cortar a dados pequeños. Pelar la cebolla y picarla finamente.

3. Calentar el aceite en un cazo y rehogar la cebolla. Añadir las verduras a dados y sofreír durante 3 minutos. Incorporar la mezcla del vinagre y cocer todo junto y tapado, a fuego lento, durante otros 5 minutos.

4. Escurrir el maíz. Mezclarlo con el *sauerkraut* y las verduras rehogadas. Salpimentar y dejar enfriar durante 15 minutos.

5. Lavar el perejil, secar y picar las hojas finamente. Repartir sobre la ensalada de maíz.

Valor nutricional por ración:

380 kcal • **9 g** proteínas • **13 g** grasas • **55 g** carbohidratos

Ensalada de la huerta

PARA 2 PERSONAS

1 patata harinosa pequeña
sal yodada
1 diente de ajo
1/2 manojo de eneldo
2 pepinillos grandes (100 g)
150 g de tomates
1/2 lechuga pequeña
1 cucharada de zumo de limón
1 cucharada de aceite vegetal
pimienta
azúcar

PREPARACIÓN: 30 minutos

1. Lavar la patata, pelarla y cortarla a dados pequeños. Cocer los dados en poca agua con sal durante 20 minutos. Pelar el diente de ajo y picarlo. Lavar el eneldo, secarlo y picar las puntas muy finamente.

2. Cortar los pepinillos en rodajas finas. Lavar el tomate y retirar el pedículo. Cortarlo a dados. Trocear la lechuga en trozos de bocado, lavar y centrifugar.

3. Escurrir la patata y aplastarla con un tenedor. Mezclar el puré con el zumo de limón, el aceite, el ajo y el eneldo. Sazonar el aliño con sal, pimienta y azúcar.

4. Mezclar el pepinillo, el tomate y la lechuga con el aliño de patata. Dejar reposar brevemente.

CONSEJO

Con frecuencia, las personas con hipersensibilidad a la histamina no toleran bien los pepinillos ni el tomate. Si pertenece a ese grupo, es mejor sustituir los pepinillos por pepino y el tomate por un pimiento pequeño.

Valor nutricional por ración:

90 kcal • **2 g** proteínas • **5 g** grasas • **9 g** carbohidratos

Ensalada de colinabo y melón

PARA 2 PERSONAS

1 colinabo tierno pequeño
1/2 pepino
1/2 melón cantaloupe pequeño
1 cucharada de aceite balsámico claro
1 cucharada de jerez seco
1/2 cucharadita de azúcar
sal yodada
pimienta
1 cucharada de aceite de pepita de uva
2 cucharadas de caldo de verduras
3 ramas de melisa

PREPARACIÓN: 15 minutos
MARINADO: 15 minutos

1. Limpiar el colinabo, reservar las hojitas tiernas. Pelar el bulbo y rallarlo finamente. Lavar el pepino y cortarlo en bastones cortos. Retirar las pepitas del melón. Formar bolas de melón con un vaciador de melones.

2. Mezclar el colinabo rallado con los bastones de pepino y las bolas de melón. Mezclar el vinagre con el jerez, el azúcar, la sal, la pimienta, el aceite y el caldo. Aliñar la ensalada con la mezcla.

3. Lavar la melisa y las hojas del colinabo y secarlas. Cortar finamente las hojas y repartirlas sobre la ensalada. Dejar reposar la ensalada 15 minutos.

VARIANTE

Esta ensalada también queda bien con mango en lugar de melón. Para ello cortar a daditos la pulpa de 1/2 mango y mezclar con el resto de ingredientes.

Valor nutricional por ración:

135 kcal • **3 g** proteínas • **5 g** grasas • **18 g** carbohidratos

Ensalada de aguacate con pomelo rosa

PARA 2 PERSONAS

1 pomelo rosa
50 g de canónigos
1 aguacate maduro
4 cucharadas de zumo de limón
1 cebolleta
1 cucharada de aceite vegetal
1 cucharada de caldo de verduras
sal yodada
pimienta

PREPARACIÓN: 30 minutos

1. Pelar el pomelo con cuidado para que no queden restos de la piel blanca. Sacar los gajos dejando la membrana que los separa. Recoger el zumo durante la operación.

2. Limpiar los canónigos y centrifugarlos. Partir por la mitad longitudinalmente el aguacate y retirar el hueso. Separar la pulpa de la piel con la ayuda de una cuchara y cortarla en dados de 1 cm. Bañar el aguacate con 2 cucharadas de zumo de limón y el zumo del pomelo.

3. Limpiar la cebolleta y cortar la parte blanca en anillos muy finos. Mezclar con el aguacate, el pomelo y los canónigos.

4. Mezclar el aceite con el caldo y 2 cucharadas de zumo de limón. Salpimentar el aliño y repartir sobre la ensalada. Remover con cuidado.

CONSEJO

Para variar, sustituir el pomelo por los gajos de una naranja grande.

Valor nutricional por ración:

310 kcal • **3 g** proteínas • **29 g** grasas • **10 g** carbohidratos

Ensalada de pechuga de pollo con calabacín

PARA 2 PERSONAS

100 g de arroz largo precocido
sal yodada
200 g de calabacín
1/4 de piña pequeña
150 g de pechuga de pollo
1 cucharada de aceite vegetal
1 cucharada de vinagre de vino blanco
1 cucharada de aceite de pepita de uva
1 cucharada de *chutney* de mango
pimienta
curry suave

PREPARACIÓN: 20 minutos
MARINADO: 15 minutos

1. Meter el arroz en 200 ml de agua hirviendo con sal y dejar cocer tapado y a fuego lento durante 20 min.

2. Limpiar el calabacín y cortarlo en dados pequeños. Pelar la piña y retirar el troncho central. Asimismo, cortar la pulpa en dados pequeños.

3. Secar la pechuga de pollo y cortarla en dados pequeños. Calentar el aceite vegetal en una sartén y cocinar un poco la carne. Dejar enfriar.

4. Mezclar el vinagre con el aceite de pepita de uva, el *chutney*, un poco de sal, pimienta y curry. Mezclar bien el arroz, el calabacín, la piña, el pollo y el aliño. Dejar reposar la ensalada durante 15 min. Antes de servir, sazonar de nuevo con sal, pimienta, *chutney* y curry.

VARIANTE

¿Mejor sin carne? En ese caso, en lugar de pollo prepare la ensalada con 1 aguacate cortado a dados y rociado con un poco de zumo de limón.

Valor nutricional por ración:

390 kcal • **22 g** proteínas • **11 g** grasas • **50 g** carbohidratos

Ensalada picante de lentejas

PARA 2 PERSONAS

150 g de lentejas amarillas
1/2 puerro pequeño
1 cucharadita de aceite vegetal
250 ml de caldo de verduras
1 manzana pequeña
75 g de jamón serrano o cocido o asalmonado
1/2 manojo de perejil
2 cucharaditas de vinagre balsámico
sal yodada
pimienta
curry
PREPARACIÓN: 40 minutos
REMOJO: 8 horas

1. Cubrir las lentejas con agua y dejar como mínimo 8 horas o durante la noche en remojo. Pasar por un colador y dejar escurrir.

2. Limpiar el puerro, cortarlo a lo largo y lavarlo bien. Cortar en anillos. Calentar el aceite en una cazuela y sofreír brevemente el puerro. Echar el caldo. Añadir las lentejas y cocer a fuego medio durante 15 ó 20 min. Las lentejas no deben romperse.

3. Lavar la manzana, cortarla a cuartos y retirar el corazón. Cortar a daditos. Hacia el final de la coc-ción de las lentejas añadirla a la cazuela y calentar brevemente. Dejar enfriar las lentejas.

4. Cortar el jamón en tiras finas. Limpiar el perejil, secarlo y picar las hojas finamente. Mezclarlo con las tiras de jamón y las lentejas. Aliñar la ensalada con vinagre, sal, pimienta y curry.

Valor nutricional por ración:

455 kcal • **26 g** proteínas • **18 g** grasas • **48 g** carbohidratos

Ensalada de ave con plátano

PARA 2 PERSONAS

250 g de pechuga de pavo
sal yodada
5 cucharadas de arroz redondo
100 g de guisantes congelados
1 plátano grande
1 cucharadita de zumo de limón
2 cucharadas de vinagre de frambuesa
2 cucharadas de aceite de pepita de uva
pimienta
curry suave
PREPARACIÓN: 40 minutos

1. Cortar la pechuga de pavo en trozos grandes. Cocer en agua con sal, a fuego lento, durante 10 min.

Retirar la carne y dejar enfriar. Llevar el agua de la cocción nuevamente a ebullición, añadir el arroz y los guisantes, y cocer tapado a fuego lento durante 20 ó 25 minutos. Colar el arroz con los guisantes y escurrir bien. Reservar el agua de la cocción.

2. Pelar el plátano y partir por la mitad. Aplastar una de las mitades con un tenedor. Mezclar el puré con el zumo de limón, el vinagre y el aceite para crear un aliño. Sazonar con sal, pimienta y curry. En caso necesario, aligerarlo un poco con el caldo de la cocción.

3. Cortar la pechuga de pavo en trozos pequeños. Mezclar con el arroz de guisantes y el aliño. Sazonar la ensalada con sal, pimienta y curry. Cortar la otra mitad del plátano en rodajas y repartir por encima de la ensalada.

CONSEJO

La ensalada también puede aliñarse con un vinagre de manzana suave y un aceite de oliva afrutado suave.

Valor nutricional por ración:

410 kcal • **35 g** proteínas • **11 g** grasas • **41 g** carbohidratos

Ensalada de ave y uvas

PARA 2 PERSONAS

150 g de pechuga de pollo
3 hojas de levístico
sal yodada
1/2 calabacín pequeño
100 g de uvas sin pepitas
2 cucharadas de vinagre de manzana
6 cucharadas de bebida de arroz
1/2 cucharadita de fécula de patata
pimienta
curry suave

PREPARACIÓN: 20 minutos

1. Cortar la pechuga de pollo en trozos grandes. Lavar el levístico y secarlo. Cocer la carne en agua hirviendo con sal, junto con el levístico, durante 5 minutos. Sacar la carne y dejar que se enfríe un poco.

2. Enjuagar el calabacín, limpiarlo y cortarlo en daditos. Lavar las uvas, secarlas y cortarlas por la mitad. Cocer brevemente el vinagre con la bebida de arroz y la fécula de patata y remover enérgicamente.

3. Cortar en lonchas finas la pechuga templada. Mezclar con el calabacín, la uva y el aliño. Dejar reposar brevemente y sazonar con sal, pimienta y curry.

CONSEJO

Si no existe alergia ni intolerancia a los productos lácteos, puede sustituir la bebida de arroz y la fécula por 100 g de queso fresco (0,2 % de materia grasa).

Valor nutricional por ración:

140 kcal • **19 g** proteínas • **1 g** grasas • **12 g** carbohidratos

Canónigos con frutas y cecina

PARA 2 PERSONAS

75 g de canónigos
1 cucharada de vinagre de frambuesa
sal yodada
pimienta
1 cucharadita de miel
1 cucharada de aceite vegetal
200 g de frutas del bosque (según temporada, frescas o congeladas)
250 g de uvas sin pepitas
50 g de cecina (en lonchas muy finas)

PREPARACIÓN: 25 minutos

1. Limpiar los canónigos y centrifugarlos. Mezclar el vinagre, la sal, la pimienta, la miel y el aceite.

2. Lavar las frutas del bosque y secarlas. Recoger el jugo que suelten y añadirlo al aliño. Descongelar con cuidado las frutas congeladas a fuego muy lento en el aliño. Colar y dejar escurrir, recuperando el aliño.

3. Lavar las uvas, secarlas y cortarlas por la mitad. Cortar la cecina en tiras muy finas y no demasiado largas.

4. Aliñar los canónigos. Mezclar con las frutas del bosque, las uvas y la cecina. Servir la ensalada y echar por encima el resto del aliño.

CONSEJO

En caso de alergia al polen, prescinda de la miel. En su lugar añada al aliño un poco de sirope de arce o azúcar.

Valor nutricional por ración:

260 kcal • **12 g** proteínas • **7 g** grasas • **34 g** carbohidratos

Ternera sobre rúcula con salsa de manzana

PARA 2 PERSONAS

1 cucharada de aceite de oliva
150 g de carne de ternera (de la cadera)
sal yodada
pimienta
1 manzana pequeña
2 cucharadas de aceite de pepita de uva
1 cucharada de alcaparras (de bote)
75 g de rúcula
PREPARACIÓN: 20 minutos

1. Calentar el aceite de oliva en una sartén y dorar un poco la carne por todas sus caras. Salpimentarla y dejar que se enfríe.

2. Pelar la manzana, cortarla a cuartos y retirar el corazón. Triturarla con la batidora y un poco de agua. Al tiempo que trituramos la manzana, añadir el aceite gota a gota hasta obtener una salsa cremosa. Incorporar las alcaparras y salpimentar.

3. Lavar la rúcula y centrifugarla. Retirar los tallos duros. Trocear las hojas en trozos de bocado y repartir en dos platos. Echar por encima el aliño. Cortar la carne en lonchas finas y repartirlas sobre la ensalada.

CONSEJO

¿No tolera la fruta con pepitas? En ese caso, en lugar de la manzana utilice una patata cocida pequeña para preparar el aliño. Junto con las alcaparras añadir un poco de caldo de verduras hasta que el aliño quede bien cremoso.

Valor nutricional por ración:

255 kcal • **17 g** proteínas • **17 g** grasas • **8 g** carbohidratos

Ensalada de arroz y colinabo con jamón

PARA 2 PERSONAS

125 ml de caldo de verduras
50 g de arroz largo
100 g de colinabo
1 manzana
100 g de jamón cocido
1 cebolleta
50 g de maíz dulce (de lata)
1/2 manojo de perejil
2 cucharadas de vinagre de manzana
1 cucharada de aceite vegetal
sal yodada
pimienta
PREPARACIÓN: 25 minutos
MARINADO: 10 minutos

1. Llevar a ebullición 100 ml de caldo de verduras. Incorporar el arroz y cocerlo tapado y a fuego medio durante 20 minutos.

2. Pelar el colinabo y la manzana. Partirla por la mitad y retirar el corazón. Cortar la manzana, el colinabo y el jamón en tiras estrechas.

3. Limpiar la cebolleta y picar la parte blanca. Escurrir el maíz, y mezclarlo con el arroz, el colinabo, la manzana y el jamón.

4. Lavar el perejil, secarlo y picar las hojas finamente. Mezclar con el vinagre, el aceite y 25 ml de caldo. Salpimentar la vinagreta y repartir sobre la ensalada. Mezclar bien y dejar reposar 10 minutos.

VARIANTE

Para variar, en lugar de la manzana añada a la ensalada los pequeños gajos de dos mandarinas pequeñas. Es especialmente importante para aquellos que deben evitar las frutas con pepitas.

Valor nutricional por ración:

330 kcal • **16 g** proteínas • **9 g** grasas • **46 g** carbohidratos

Ensalada contundente de ternera

PARA 2 PERSONAS

2 cucharadas de aceite de oliva
200 g de carne de ternera
1 pimiento rojo
1/2 calabacín pequeño
1 cebolla grande
sal yodada
azúcar
150 g de maíz dulce (de lata)
1 cucharada de concentrado de tomate
1 cucharada de vinagre de frambuesa
pimienta
pimentón dulce

PREPARACIÓN: 20 minutos
MARINADO: 30 minutos

1. Calentar una cucharada de aceite en una sartén. Dorar la carne 5 minutos por cada lado. Retirar y dejar enfriar.

2. Lavar el pimiento, partirlo por la mitad y limpiarlo, retirando las pepitas y las partes blancas del interior. Cortar a dados. Asimismo, lavar el calabacín y cortarlo a dados. Pelar la cebolla y picarla fina. Llevar a ebullición un poco de agua con un pellizco de azúcar y cocer las verduras durante unos 4 minutos. Colarlas y dejar que se escurran.

3. Colar y escurrir el maíz. Cortar la carne a dados. Mezclar con las verduras y la carne.

4. Para el aliño, mezclar 1 cucharada de aceite, el concentrado de tomate, el vinagre, la sal, la pimienta y el pimentón. Aliñar la ensalada y dejar reposar durante 30 minutos.

CONSEJO

¿Su estómago no tolera el pimiento? En ese caso, sencillamente prepare la ensalada con rabanitos.

Valor nutricional por ración:

470 kcal • **30 g** proteínas • **15 g** grasas • **54 g** carbohidratos

Ensalada de patatas suabas

PARA 2 PERSONAS

500 g de patatas especiales para cocer
1 diente de ajo pequeño
150 ml de caldo de carne
2 cucharadas de vinagre de vino blanco
1 cebolla pequeña
sal yodada
pimienta
1/2 manojo de cebollino
1 cucharada de aceite vegetal

PREPARACIÓN: 40 minutos
MARINADO: 15 minutos

1. Lavar las patatas y cocinarlas tapadas, en abundante agua, durante unos 25 minutos. Colarlas y dejar que se enfríen un poco. Pelarlas y cortarlas en rodajas finas. Cortar el diente de ajo por la mitad y frotar con él una fuente para ensalada. Poner las patatas en la fuente.

2. Calentar el caldo y añadir el vinagre. Echar el caldo caliente sobre las patatas. Pelar la cebolla y picarla finamente. Añadir la cebolla a la ensalada y salpimentar.

3. Lavar el cebollino y secar. Picarlo finamente. Mezclar con el aceite y aliñar con éste la ensalada. Dejar reposar la ensalada a temperatura ambiente un mínimo de 15 minutos.

CONSEJO

Esta ensalada es apreciada por todas aquellas personas que sufren de distintas alergias. En caso necesario, rehogue brevemente la cebolla y prescinda del cebollino.

Valor nutricional por ración:

190 kcal • **5 g** proteínas • **6 g** grasas • **30 g** carbohidratos

Sopa de verduras con fiambre de pavo

PARA 2 PERSONAS

1 patata (150 g)
1 cebolla pequeña
1 zanahoria (100 g)
150 g de brécol
1 puerro pequeño
1 trozo de jengibre fresco
(aproximadamente de 2 cm)
300 ml de caldo de ave
100 g de pechuga de pavo
1/2 manojo de perejil
100 g de maíz dulce (de lata)
sal yodada
pimienta
curry suave

PREPARACIÓN: 45 minutos

1. Pelar las patatas, las cebollas y las zanahorias y cortarlas a dados. Separar los ramilletes del brécol, lavar y escurrir. Limpiar el puerro y retirar la parte verde más oscura. Cortarlo longitudinalmente y lavarlo bien. Cortar la parte blanca y la verde claro en anillos. Pelar el jengibre y picarlo finamente.

2. Cocer las verduras a dados, el brécol, el puerro y el jengibre en el caldo, tapado y a fuego lento, durante 30 minutos. Cortar el fiambre en tiras finas. Lavar el perejil, secarlo y picar las hojas groseramente. Escurrir el maíz.

3. Triturar con la batidora las verduras junto con el caldo. Incorporar el maíz y el fiambre de pavo y calentar de nuevo la sopa. Sazonarla con sal, pimienta y curry. Servir con el perejil picado por encima.

Valor nutricional por ración:

315 kcal • **22 g** proteínas • **3 g** grasas • **48 g** carbohidratos

Guiso energético de hinojo

PARA 2 PERSONAS

100 g de garbanzos secos
1 bulbo de hinojo
1 cebolla
50 g de jamón cocido
1/2 manojo de perejil
5 ramitas de tomillo
1 ramita de romero
1 cucharada de aceite de oliva
800 ml de caldo de verduras
3 cucharadas de concentrado de tomate
sal yodada
pimienta

PREPARACIÓN: 15 minutos
COCCIÓN: 30 minutos
REMOJO: 12 horas

1. Poner en remojo los garbanzos un mínimo de 12 horas o durante la noche en abundante agua.

2. Lavar y limpiar el hinojo, reservando la parte verde. Cortar el bulbo en juliana. Pelar la cebolla y picarla groseramente. Cortar el jamón a dados.

3. Lavar el perejil, el tomillo y el romero y secarlos. Picar groseramente las hojas de perejil y romero y separar las hojas de los tallos de tomillo. Colar los garbanzos y dejarlos escurrir.

4. Calentar el aceite en una olla y rehogar la cebolla. Incorporar el jamón, el hinojo y las hierbas. Echar el caldo, el concentrado de tomate y los garbanzos. Cocer todo a fuego lento durante 30 minutos. Salpimentar el guiso. Picar groseramente el verde del hinojo y echar por encima.

CONSEJO

Si existen problemas con la histamina, utilizar la pasta de pimientos (véase la página 32) en lugar del concentrado de tomate.

Valor nutricional por ración:

280 kcal • **20 g** proteínas • **10 g** grasas • **28 g** carbohidratos

Sopa de pepino

PARA 2 PERSONAS

3 pepinos
1 cucharada de caldo granulado (sin apio)
1 cucharada de zumo de limón
300 ml de bebida de arroz
1 diente de ajo
cayena
1/2 cucharadita de sal yodada
pimienta
1 manojo de eneldo

PREPARACIÓN: 15 minutos

1. Lavar los pepinos, pelarlos y cortarlos a daditos. Cocer el pepino con el caldo en una olla grande.

2. Mezclar el zumo de limón con la bebida de arroz. Pelar el ajo y rallarlo. Sazonar la crema con la cayena, la sal y la pimienta.

3. Triturar con la batidora dos terceras partes del pepino con la crema picante. Rectificar de sal al gusto. Lavar el eneldo, secarlo y picar las hojas finamente.

4. Adornar la sopa con el eneldo y el resto del pepino.

CONSEJO

Esta fina sopa está igualmente deliciosa fría que caliente. Utilice sólo caldo granulado sin levaduras ni glutamato (potenciador del sabor) y según el tipo de alergia también sin apio. Lo encontrará en tiendas especializadas o de productos naturales.

Valor nutricional por ración:

275 kcal • **7 g** proteínas • **4 g** grasas • **55 g** carbohidratos

Guiso de tomate con polenta

PARA 2 PERSONAS

4 hojas de salvia
2 cucharadas de aceite de oliva
60 g de sémola de maíz
500 ml de caldo de verduras
sal yodada
pimienta
pimentón picante
400 g de tomates
100 g de cebollas
1 diente de ajo
1 hoja de laurel
2 cucharadas de concentrado de tomate
2 cucharadas de zumo de limón
1 hoja de papel de horno

PREPARACIÓN: 25 minutos

1. Lavar la salvia, secarla y picarla groseramente. En una olla calentar 1 cucharadita de aceite y tostar la salvia. Incorporar la sémola y sofreír sin dejar de remover. Añadir 250 ml de caldo. Llevar a ebullición y dejar que la sémola se cueza a fuego lento durante 15 minutos. Remover de vez en cuando. Sazonar la masa con sal, pimienta y pimentón. Estirar la masa sobre el papel de horno hasta un grosor de 1 cm y dejar enfriar.

2. Realizar un corte en forma de cruz en los tomates y blanquear en agua hirviendo 30 segundos. Retirarlos del agua y pelarlos. Retirar el pedículo y cortarlos a dados. Pelar la cebolla y el ajo y picarlos finamente.

3. Calentar 1 cucharadita de aceite en una olla. Rehogar la cebolla y el ajo. Añadir el laurel, el concentrado de tomate y el zumo de limón y calentar brevemente. Incorporar 250 ml de caldo. Añadir los dados de tomate y dejar cocer a fuego lento durante 10 minutos. Salpimentar la sopa.

4. Cortar la polenta en rombos grandes. Calentar en una sartén el resto del aceite y dorar los rombos por ambos lados. Servir acompañando la sopa.

Valor nutricional por ración:

240 kcal • **5 g** proteínas • **12 g** grasas • **29 g** carbohidratos

Sopa de calabaza con jengibre

PARA 2 PERSONAS

500 g de calabaza (300 g limpia)
1 patata harinosa especial para cocer (aproximadamente de 100 g)
1 trozo de jengibre fresco (aproximadamente de 2 cm)
1 cebolla pequeña
1 cucharada de aceite de oliva
400 ml de caldo de verduras
4 lonchas de jamón (cocido o ahumado)
1/2 manojo de perifollo
sal yodada
pimienta

PREPARACIÓN: 45 minutos

1. Pelar la calabaza, retirar las pepitas y cortar la pulpa en trozos pequeños. Lavar la patata, pelarla y cortarla a daditos. Pelar el jengibre y rallar fino. Pelar la cebolla y picar muy fina.

2. Calentar el aceite en una olla y rehogar la cebolla. Añadir el jengibre. Incorporar la calabaza y la patata y sofreír brevemente. Añadir el caldo y dejar cocer a fuego lento durante 15 minutos.

3. Cortar el jamón en tiras finas y cortas. Lavar el perifollo, secarlo y picarlo groseramente. Salpimentar la sopa y triturar con la batidora. Adornar con las tiras de jamón y el perifollo.

CONSEJO

Fuera de la temporada de calabaza puede preparar esta sopa con 300 g de calabaza en conserva (de bote). No obstante, el jugo de la conserva no debe contener azúcar ni miel. Las personas con hipersensibilidad a la histamina deben prescindir de esta variante.

Valor nutricional por ración:

240 kcal • **21 g** proteínas • **10 g** grasas • **15 g** carbohidratos

Sopa de coles de Bruselas con maíz y azafrán

PARA 2 PERSONAS

1 cebolla pequeña
1 diente de ajo
1 zanahoria pequeña
250 g de coles de Bruselas
1 cucharadita de aceite vegetal
400 ml de caldo de verduras
100 g de maíz dulce (de lata)
1/2 manojo de cebollino
1 poco de azafrán
sal yodada
pimienta

PREPARACIÓN: 15 minutos
COCCIÓN: 25 minutos

1. Pelar la cebolla y el ajo y picarlos finamente. Limpiar y pelar la zanahoria y cortarla en trozos pequeños. Lavar las coles de Bruselas, limpiarlas y cortarlas en rodajas finas.

2. Calentar el aceite en una olla grande. Rehogar la cebolla, el ajo y la zanahoria. Añadir las coles de Bruselas y sofreír un poco. Incorporar el caldo y cocer todo tapado y a fuego lento durante 25 minutos.

3. Colar el maíz y dejarlo escurrir. Lavar el cebollino, secarlo y picarlo muy fino. Añadir el maíz y el azafrán a la sopa. Salpimentar y echar el cebollino. Servir de inmediato.

VARIANTE

La sopa también es deliciosa preparada con col rizada o berza.

Valor nutricional por ración:

265 kcal • **12 g** proteínas • **6 g** grasas • **41 g** carbohidratos

Sopa de guisantes con melisa

PARA 2 PERSONAs

1 cebolleta
100 g de maíz dulce (de lata)
1 cucharada de aceite vegetal
600 ml de caldo de verduras
150 g de guisantes congelados
2 ramas de melisa
sal yodada
pimienta
azúcar

PREPARACIÓN: 15 minutos

1. Limpiar la cebolleta. Picar finamente la parte blanca. Colar el maíz y dejarlo que se escurra.

2. Calentar el aceite en una olla grande y rehogar la cebolleta. Echar el caldo. Incorporar al caldo la mitad del maíz y los guisantes. Cocer a fuego lento durante 5 minutos.

3. Lavar la melisa, secarla y picarla groseramente. Triturar con la batidora junto con la verdura.

4. Añadir el resto del maíz a la sopa y calentar de nuevo brevemente. Sazonar la sopa con sal, pimienta y un poco de azúcar. Servir en raciones.

CONSEJO

Aquellas personas que toleran el pescado pueden añadir 150 g de salmón troceado a la sopa. Retirar el pescado antes de triturar y ponerlo de nuevo en la sopa caliente antes de servirla.

Valor nutricional por ración:

296 kcal • **10 g** proteínas • **8 g** grasas • **46 g** carbohidratos

Sopa de lentejas amarillas

PARA 2 PERSONAS

150 g de lentejas amarillas
1 cebolla
1 diente de ajo
1 zanahoria
1 puerro
4 ramitas de tomillo fresco (puede sustituirse por 1/2 cucharadita de tomillo seco)
1 cucharadita de aceite vegetal
600 ml de caldo de verduras
sal yodada
pimienta
vinagre de manzana

PREPARACIÓN: 30 minutos
REMOJO: 8 horas

1. Cubrir las lentejas con agua y dejarlas en remojo un mínimo de 8 horas o toda la noche. Colar.

2. Pelar la cebolla y el ajo. Lavar y pelar la zanahoria. Limpiar el puerro y desechar la parte de color verde oscuro. Realizar un corte longitudinal y lavarlo bien. Picar finamente la cebolla, el ajo y el puerro. Lavar el tomillo y secarlo. Separar las hojas y picarlas.

3. Calentar el aceite en una olla grande y rehogar brevemente las verduras. Añadir el caldo, las lentejas y el tomillo. Cocer todo a fuego lento durante 15 ó 20 minutos, hasta que las lentejas estén tiernas.

4. Triturar con la batidora la mitad de la sopa. Incorporar el puré al resto de la sopa y calentarlo todo de nuevo. Salpimentarla y añadir un poco de vinagre de manzana.

Valor nutricional por ración:

315 kcal • **21 g** proteínas • **5 g** grasas • **46 g** carbohidratos

Pizza de tortilla de maíz

PARA 2 PERSONAS
PARA LA MASA

100 g de harina de maíz
20 g de harina de arroz
20 g de fécula de maíz
1/2 cucharadita de sal yodada
2 cucharadas de aceite vegetal

PARA EL RELLENO

150 g de puré de tomate (producto industrial)
2 cucharadas de *ajvar* suave (puré de pimiento)
sal yodada
pimienta
orégano seco
2 tomates
300 ó 400 g de verduras (según disponibilidad, por ejemplo, tiras de pimiento, champiñones laminados, olivas, hojas de espinaca, rodajas de calabacín, anillos de cebolla)

ADEMÁS

papel de horno

PREPARACIÓN: 35 minutos

HORNO: 25 minutos

1. Para preparar la masa, mezclar la harina de maíz, la de arroz, la fécula de maíz y la sal en un cuenco. Con aceite y unos 100 ml de agua obtener una masa. En caso necesario añadir un poco más de agua.

2. Precalentar el horno a 200 ºC. Formar con la masa dos tortitas redondas (de aproximadamente 20 cm de diámetro) sobre el papel de horno. Poner las tortitas con el papel sobre una placa de horno y meter en el horno (en el centro; si es por convección a 180 ºC) durante 10 minutos. Sacar del horno. Bajar la temperatura del horno a 175 ºC.

3. Mezclar el puré de tomate y el *ajvar*. Sazonar con sal, pimienta y orégano. Lavar los tomates y retirar los pedículos. Cortarlos en rodajas. Lavar las verduras y cortarlas en tiras, rodajas o anillos.

4. Untar las tortillas hasta el borde con el puré de tomate. Cubrir la pizza con las rodajas de tomate y las verduras. Meter en el horno (en el centro; si es por convección a 150 ºC) otros 15 minutos. Servir en seguida.

CONSEJO

La harina de arroz se puede encontrar en las tiendas de productos asiáticos o en comercios especializados. Por regla general, las tiendas de productos naturales también disponen de esta harina; también puede molerla a partir de copos de arroz. Las tortillas deben cubrirse hasta el borde, ya que de otra manera es fácil que el borde se seque en el segundo horneado.

VARIANTE

Aquel que no quiera una pizza totalmente vegetariana puede añadir jamón cocido, salami y, para todos aquellos que toleran el pescado, atún. También está muy buena con unos cuantos trozos de piña.

Valor nutricional por ración:

380 kcal • **10 g** proteínas • **12 g** grasas • **57 g** carbohidratos

Col lombarda con ragú de setas

PARA 4 PERSONAS

2 cebollas
1 col lombarda pequeña
(de aproximadamente 800 g o 1/2
col lombarda de tamaño normal)
2 cucharadas de aceite vegetal
2 manzanas
4 cucharadas de vinagre de
manzana
250 ml de zumo de uva negra
2 cucharadas de jalea de grosellas
3 hojas de laurel
sal yodada
pimienta
canela, clavo en polvo
600 g de champiñones
1 cucharada de harina de alforfón
100 ml de zumo de manzana

PREPARACIÓN: 55 minutos

1. Pelar las cebollas y picarlas. Limpiar y lavar la col lombarda y cortarla en juliana. Calentar 1 cucharada de aceite en una olla grande y rehogar la mitad de la cebolla. Añadir la col lombarda y rehogar a fuego fuerte, sin dejar de remover, durante 10 minutos.

2. Pelar las manzanas, cortarlas a cuartos y retirar el corazón. Cortar en trozos pequeños, añadir a la col y rehogar brevemente. Incorporar el vinagre y el zumo de uva. Añadir también las hojas de laurel y la jalea de grosellas. Cocer todo a fuego lento y tapado durante un mínimo de 30 minutos, removiendo de vez en cuando. Sazonar la col lombarda con sal, pimienta, canela y clavo.

3. Para preparar el ragú de setas, limpiar los champiñones y cortarlos en láminas finas. Enharinar las láminas. Calentar 1 cucharada de aceite y rehogar el resto de la cebolla. Añadir las setas enharinadas y rehogar a fuego medio durante unos 2 minutos. Echar el zumo de manzana y cocer a fuego lento y sin tapar durante 15 minutos. Salpimentar el ragú y servir acompañando la col lombarda. También combinan bien con las patatas asadas.

Valor nutricional por ración:

220 kcal • **7 g** proteínas • **6 g** grasas • **31 g** carbohidratos

Mijo con tomate y pepinillos en vinagre

PARA 2 PERSONAS

100 g de mijo
1 pimiento amarillo pequeño
2 tomates maduros
2 pepinillos (150 g)
4 ramitas de tomillo
2 cucharadas de aceite de oliva
1 diente de ajo
2 cucharadas de *ajvar* suave
(polvo de pimiento)
sal yodada
pimienta

PREPARACIÓN: 15 minutos.

1. Poner el mijo en 200 ml de agua hirviendo y cocer tapado y a fuego lento durante 15 minutos.

2. Mientras tanto, lavar el pimiento, partirlo por la mitad y limpiarlo. Retirar las pepitas y las partes blancas del interior. Cortarlo en tiras. Lavar los tomates y retirar el pedículo. Cortarlos a daditos. Cortar los pepinillos en rodajas finas. Lavar el tomillo, secarlo y separar las hojas.

3. Calentar el aceite en una sartén. Pelar el ajo, rallarlo y rehogarlo en el aceite. Añadir las verduras y el tomillo. Cocer todo a fuego medio durante 4 minutos sin dejar de remover. Incorporar el *ajvar* y cocer otros 4 minutos. Salpimentar las verduras.

4. Colar el mijo y salpimentar. Mezclar con las verduras.

Valor nutricional por ración:

330 kcal • **7 g** proteínas • **13 g** grasas • **47 g** carbohidratos

Tomates rellenos de arroz

PARA 2 PERSONAS

250 ml de caldo de verduras
2 tomates grandes
(de 150 ó 200 g cada uno)
75 g de arroz largo
1 zanahoria pequeña
1 diente de ajo pequeño
1 cebolleta
1/4 de manojo de perejil
sal yodada
pimienta
1/4 de cucharadita de pimentón
dulce

PREPARACIÓN: 35 minutos

HORNO: 15 minutos

1. Llevar el caldo a ebullición. Lavar los tomates y cortar una tapa a cada uno. Desprender el interior de los tomates con ayuda de un cuchillo y vaciarlos con una cucharita. Añadir el interior de los tomates al caldo, y reservar los tomates con la tapa. Echar el arroz en el caldo hirviendo y cocer tapado y a fuego lento durante 25 minutos.

2. Pelar la zanahoria y el ajo. Limpiar la cebolleta. Picar la parte blanca de la cebolleta, al igual que la zanahoria y el ajo. Añadir al arroz y cocer conjuntamente.

3. Precalentar el horno a 200 °C. Lavar el perejil, secarlo y picar finamente las hojas. Mezclar con el arroz. Sazonar el arroz de verduras con sal, pimienta y pimentón. Rellenar con él los tomates y ponerles la tapa.

4. Repartir el arroz sobrante en una fuente y poner encima los tomates rellenos. Meter al horno (en el centro; si es de convección a 180 °C) unos 15 minutos. Servir los tomates rellenos con el arroz.

CONSEJO

Prepare los tomates de arroz con 4 tomates pequeños. De esta manera tendrá una deliciosa guarnición para 4 personas.

Valor nutricional por ración:

165 kcal • **5 g** proteínas • **1 g** grasas • **35 g** carbohidratos

Caponata

PARA 2 PERSONAS

250 g de berenjenas
1 cebolla roja pequeña
250 g de tomates
1/2 bulbo de hinojo
2 cucharadas de aceite de oliva
2 cucharadas de alcaparras (de bote)
1 cucharada de azúcar
5 cucharadas de vinagre balsámico
sal yodada
pimienta

PREPARACIÓN: 20 minutos

1. Lavar las berenjenas, limpiarlas y cortarlas a dados grandes. Pelar la cebolla y picarla muy fina. Lavar los tomates y retirar el pedículo. Cortarlos en trozos pequeños. Lavar y limpiar el hinojo y cortarlo en juliana.

2. Calentar el aceite en una sartén. Rehogar la berenjena y la cebolla. Incorporar el hinojo y las alcaparras, y rehogar otros 3 minutos. Añadir el azúcar a las verduras y bañar con el vinagre.

3. Incorporar el tomate troceado y cocer tapado durante 2 minutos. Salpimentar.

CONSEJO

Servir la caponata caliente, templada o fría, por ejemplo, como entrante. Añadiendo arroz o pasta tendrá en un momento un delicioso plato principal.

Valor nutricional por ración:

160 kcal • **3 g** proteínas • **11 g** grasas • **13 g** carbohidratos

Tortitas de zanahoria y patata

PARA 2 PERSONAS

1 manojo de cebollino
200 g de zanahorias
400 g de patatas harinosas especiales para cocer
1 cucharada de concentrado de tomate
2 cucharadas de sucedáneo de huevo en polvo
sal yodada
pimienta
fécula de patata
(en caso necesario)
3 cucharadas de aceite vegetal

PREPARACIÓN: 25 minutos

1. Lavar el cebollino, secarlo y picarlo fino. Limpiar y pelar las zanahorias. Lavar y pelar las patatas. Rallar la zanahoria fina y la patata gruesa.

2. Mezclar las verduras ralladas con el concentrado de tomate, el sucedáneo de huevo y el cebollino. Salpimentar la masa. Si queda demasiado ligera, añadir un poco de fécula de patata.

3. Calentar el aceite en una sartén grande. Calcular 1 cucharada de la masa de patata por cada tortita y meterla en la sartén. Dorar las tortitas por ambos lados. Retirar y dejar escurrir sobre papel de cocina. Estas tortitas combinan bien con una ensalada verde.

CONSEJO

¿Tolera el huevo sin problemas? En ese caso, cambie el sucedáneo de huevo en polvo por dos huevos. Servidas como guarnición, las tortitas corresponden a 4 personas.

Valor nutricional por ración:

310 kcal • **5 g** proteínas • **16 g** grasas • **37 g** carbohidratos

Tortitas de espinacas

PARA 2 PERSONAS

200 g de hojas de espinacas
congeladas

sal yodada

350 g patatas harinosas especiales
para cocer

2 cucharadas de sucedáneo de
huevo en polvo

1 diente de ajo

pimienta

nuez moscada

fécula de patata (en caso
necesario)

3 cucharadas de aceite vegetal

PREPARACIÓN: 25 minutos

1. Descongelar las espinacas metiéndolas brevemente en agua hirviendo con sal. Colarlas y dejarlas escurrir. Picar las hojas groseramente. Lavar las patatas, pelarlas y rallarlas gruesas. Mezclar con las espinacas y el sucedáneo de huevo.

2. Pelar el ajo y rallarlo, añadiéndolo a la mezcla de espinacas y patatas. Sazonar la mezcla con sal, pimienta y nuez moscada, y amasar. Si la masa queda demasiado ligera, añadir un poco de fécula de patata.

3. Formar 6 tortitas planas con la masa. Calentar el aceite en una sartén grande y dorar las tortitas por ambos lados.

CONSEJO

Estas tortitas son ideales para matar el gusanillo entre horas o como guarnición para 4 personas. Esta receta también puede prepararse con 2 huevos en lugar del sucedáneo, siempre que no exista alergia al huevo.

Valor nutricional por ración:

290 kcal • **6 g** proteínas • **15 g** grasas • **33 g** carbohidratos

Espaguetis con pesto rojo

PARA 2 PERSONAS

300 g de espaguetis
(sin gluten ni huevo)

sal yodada

2 dientes de ajo

200 g de tomates secos en aceite
(de bote)

200 ml de caldo de verduras

1 cucharada de zumo de limón

60 g de concentrado de tomate

2 ramas de albahaca

PREPARACIÓN: 15 minutos

1. Cocer la pasta en agua hirviendo con sal, siguiendo las instrucciones del envase.

2. Pelar el ajo y picarlo groseramente. Dejar escurrir los tomates en un colador, recogiendo el aceite que suelten. Picarlos groseramente. Triturar con la batidora los tomates y el ajo con el caldo, el zumo de limón, el concentrado de tomate y 3 cucharadas del aceite de los tomates hasta obtener una pasta fina.

3. Lavar la albahaca, secarla y separar las hojas. Colar los espaguetis y dejarlos escurrir. Repartir la pasta en dos platos y echar un montoncito de pesto encima.

Echar por encima las hojas de albahaca y servir en seguida.

CONSEJO

Si no sufre intolerancia al gluten, puede utilizar espaguetis de trigo duro sin huevo normales. Si además tampoco tiene alergia al huevo, al ir a comprar puede ahorrarse la revisión de la lista de ingredientes.

Valor nutricional por ración:

825 kcal • **34 g** proteínas • **5 g** grasas • **160 g** carbohidratos

Tallarines con berenjenas

PARA 2 PERSONAS

1/2 berenjena
1 tomate
1 cebolla
1 cucharada de aceite de oliva
1 cucharada de concentrado de tomate
100 ml de caldo de verduras
sal yodada
pimienta
1/2 cucharadita de pimentón picante
1 cucharadita de vinagre balsámico
300 g de tallarines
(sin gluten ni huevo)
manojo de perejil

PREPARACIÓN: 20 minutos

1. Lavar la berenjena y cortarla a dados de 1 cm. Lavar el tomate, partirlo por la mitad y retirar el pedículo. Cortarlo a dados. Pelar la cebolla y picarla finamente.

2. Calentar el aceite y rehogar la cebolla. Añadir los dados de berenjena y rehogar a fuego lento durante 3 min. Incorporar los dados de tomate y seguir rehogando otros 2 minutos. Mezclar el concentrado de tomate y el caldo, y añadir a las verduras. Sazonar la salsa con sal, pimienta, pimentón y vinagre. Cocer otros 10 minutos a fuego lento.

3. Entre tanto, cocer la pasta *al dente* en agua hirviendo con sal, de acuerdo con las instrucciones del envase. Colar y dejar escurrir.

4. Lavar el perejil, secarlo y picar las hojas finamente. Repartir los tallarines en dos platos y servir encima la salsa. Adornar con el perejil y servir en seguida.

Valor nutricional por ración:

625 kcal • **21 g** proteínas • **7 g** grasas • **118 g** carbohidratos

Parpadelle con salsa de tomate y setas

PARA 2 PERSONAS

150 g de champiñones
2 cebollas
2 dientes de ajo
2 cucharadas de aceite de oliva
2 cucharadas de concentrado de tomate
5 ramitas de orégano
1 ramita de romero
150 ml de caldo de verduras
200 g de puré de tomate
300 ml de bebida de arroz
sal yodada y pimienta
1 cucharadita de curry suave
300 g de parpadelle
(sin gluten ni huevo)
4 ramas de albahaca

PREPARACIÓN: 40 minutos

1. Limpiar los champiñones y cortarlos en láminas finas. Pelar la cebolla y el ajo y picarlos finamente.

2. Calentar el aceite en una sartén. Rehogar la cebolla, el ajo y el concentrado de tomate.

Lavar el orégano y el romero, secarlos y picar las hojas groseramente. Repartir sobre la cebolla. Incorporar las setas y rehogar. Añadir el caldo y cocer las verduras a fuego lento durante unos 15 minutos, hasta que el líquido haya reducido casi en su totalidad.

3. Añadir el puré de tomate y la bebida de arroz, y remover enérgicamente. Sazonar la salsa con sal, pimienta y curry, y dejar cocer a fuego lento un poco más.

4. Cocer la pasta en agua hirviendo con sal según las instrucciones del envase, hasta que esté *al dente*. Colar y dejar escurrir. Lavar la albahaca, secarla y picar finamente las hojas. Mezclar con la pasta y la salsa de setas. Servir de inmediato.

Valor nutricional por ración:

785 kcal • **26 g** proteínas • **14 g** grasas • **127 g** carbohidratos

Rollitos de repollo y mijo

PARA 2 PERSONAS

1 repollo blanco
(de aproximadamente 600 g)
75 g de mijo
300 ml de caldo de verduras
1/2 manojo de cebollino
1 cebolla pequeña
1 diente de ajo
1 colinabo pequeño
2 cucharadas de aceite vegetal
50 cucharadas de *ajvar* suave
(puré de pimiento)
sal yodada
pimienta
nuez moscada
cordel de cocina

PREPARACIÓN: 45 minutos
COCCIÓN: 20 minutos

1. Limpiar la col y desechar las hojas más externas. Lavarla y blanquearla unos 2 minutos en agua hirviendo. Sacar y dejar escurrir. Separar las hojas. Extender sobre la superficie de trabajo y cortar los tronchos gruesos. Cortar el resto de la col en juliana.

2. Echar el mijo en 150 ml de caldo hirviendo y cocer tapado y a fuego muy lento durante unos 15 minutos. Lavar el cebollino, secarlo y picarlo fino. Pelar el colinabo y rallarlo grueso.

3. Calentar en una sartén 1 cucharadita de aceite y rehogar la cebolla y el ajo. Añadir el colinabo rallado y seguir rehogando otros 3 minutos. Incorporar al mijo las verduras, junto con el *ajvar* y la mitad del cebollino. Salpimentar y dejar enfriar.

4. Solapar dos hojas de repollo. Repartir por encima las verduras con el mijo y enrollar con cuidado las hojas. Asegurar con un cordel de cocina.

5. Calentar el resto del aceite en una olla grande y dorar los rollitos. Añadir 150 ml de caldo y la col en juliana. Cocer tapado a fuego lento durante 20 minutos. Retirar los rollitos. Sazonar el repollo con sal, pimienta y nuez moscada, y repartirlos en dos platos. Servir los rollitos encima de la col y adornar con el resto del cebollino.

CONSEJO

¿No encuentra el repollo blanco de cultivo biológico? En ese caso, utilice una col grande normal y, en lugar del colinabo, use la mitad de la col en juliana para el *gulash* de verduras (véase la página 72). O bien, elija 4 hojas grandes y bonitas y 1 ó 2 más para la verdura.

VARIANTE

Sirva los rollitos acompañados de una salsa. Para ello, cueza los rollitos con 250 ml de caldo. Retire los rollitos ya hechos y manténgalos calientes. Caliente el caldo con 50 g de queso fresco (0,2 % de materia grasa) sin dejar de remover. Sazone con 1 cucharada de *ajvar*, sal, pimienta y nuez moscada.

Valor nutricional por ración:

330 kcal • **9 g** proteínas • **13 g** grasas • **44 g** carbohidratos

Gulasch de verduras

PARA 2 PERSONAS

150 g de patatas
1 zanahoria grande
1 colinabo
1 cebolla
1 diente de ajo
1 cucharadita de aceite de oliva
2 tomates (200 g)
50 ml de caldo de verduras
200 g de champiñones
sal yodada
pimienta
1/2 cucharadita de curry suave
1 manojo de perejil

PREPARACIÓN: 40 minutos

1. Pelar las patatas, la zanahoria y el colinabo y cortar a dados de unos 2 cm. Pelar la cebolla y picarla muy fina. Pelar el ajo y rallarlo.

2. Calentar el aceite y rehogar la cebolla y el ajo. Añadir la verdura y rehogar a fuego lento unos 5 minutos.

3. Lavar los tomates, cortarlos por la mitad y retirar el pedículo. Cortarlos a daditos. Incorporarlos a las verduras y rehogar. Añadir el caldo y cocer a fuego lento durante 5 minutos.

4. Limpiar los champiñones y trocearlos. Incorporarlos a las verduras. Sazonar el *gulash* con sal, pimienta y curry, y cocer a fuego lento otros 3 minutos. Lavar el perejil, secarlo y picarlo groseramente. Repartirlo sobre las verduras.

CONSEJO

Puede completar el *gulash* con un poco de salsa de soja y crema de coco, siempre y cuando no sufra de alergia a la soja.

Valor nutricional por ración:

125 kcal • **7 g** proteínas • **3 g** grasas • **17 g** carbohidratos

Pilaf turco con champiñones

PARA 2 PERSONAS

100 g de champiñones
1 cebolla
100 ml de caldo de verduras
150 ml de zumo de manzana
1 hoja de laurel
1 cucharada de aceite vegetal
100 g de arroz largo
1 cucharada de uvas no sulfatadas
sal yodada
canela
pimentón dulce

PREPARACIÓN: 20 minutos
COCCIÓN: 35 minutos

1. Limpiar los champiñones. Cortar los más grandes por la mitad. Pelar la cebolla y picarla fina. Llevar a ebullición el caldo, con el zumo de manzana y la hoja de laurel.

2. Precalentar el horno a 180 °C. Calentar el aceite en una olla y rehogar el arroz. Añadir la cebolla y rehogarla brevemente. Repartir el arroz y los champiñones en una fuente de horno. Echar por encima el caldo caliente y las pasas. Sazonar con sal, canela y pimentón.

3. Cocer el *pilaf* al horno (en la parte de abajo; si es por convección a 160 °C) durante unos 35 minutos.

CONSEJO

¿Le gustan y tolera las almendras? En ese caso, antes de servir el *pilaf* adórnelo con 2 cucharadas de almendras recién tostadas.

Valor nutricional por ración:

290 kcal • **5 g** proteínas • **6 g** grasas • **55 g** carbohidratos

Hinojo al horno

PARA 2 PERSONAS

2 bulbos de hinojo pequeños
1/2 limón biológico
1 lata pequeña de tomate pelado
(de 200 g peso neto)
sal yodada
pimienta
1/2 manojo de perejil
5 ramitas de tomillo
5 ramitas de orégano
1 cebolla pequeña
1 diente de ajo
2 cucharadas de aceite de oliva
4 cucharadas de sémola de maíz
400 g de patatas
aceite para la fuente

PREPARACIÓN: 45 minutos
HORNO: 30 minutos

1. Lavar el hinojo y cortarlo por la mitad a lo largo. Retirar las pieles y los tallos duros y reservar la parte verde.

2. Exprimir el limón. Llevar a ebullición 1 litro de agua con el zumo de limón. Cocer en ella el hinojo durante 20 minutos. Retirar y dejar escurrir. Reservar el caldo de cocción.

3. Precalentar el horno a 200 °C. Engrasar una fuente de horno. Dejar escurrir los tomates y picarlos groseramente. Colocar el hinojo en la fuente. Cubrir con 100 ml del caldo de cocción y con el tomate troceado. Salpimentar.

4. Lavar el perejil, el tomillo, el orégano y el verde del hinojo, secarlos y picarlos muy finos. Pelar la cebolla y el ajo y picarlos finos. Calentar el aceite y sofreír la cebolla y el ajo. Rehogar la sémola. Añadir las hierbas. Repartir la sémola con las hierbas sobre el hinojo. Hornear tapado (en el centro; si es por convección a 180 °C) unos 30 minutos.

5. Lavar las patatas y cocerlas en agua unos 25 minutos con la olla tapada. Colarlas y dejar templar. Pelar las patatas, salarlas y servirlas como acompañamiento del hinojo.

Valor nutricional por ración:

345 kcal • **9 g** proteínas • **13 g** grasas • **47 g** carbohidratos

Gratinado de patatas y espinacas

PARA 2 PERSONAS

2 patatas
200 g de hojas de espinacas
(frescas o congeladas)
sal yodada
1 cebolla pequeña
1 cucharada + 3 cucharaditas de
aceite vegetal
150 ml de bebida de arroz
3 cucharaditas de fécula de patata
pimienta
nuez moscada
aceite para la fuente

PREPARACIÓN: 35 minutos
COCCIÓN: 20 minutos

1. Lavar las patatas y cocerlas en agua unos 25 minutos con la olla tapada. Colarlas y dejar templar. Pelar las patatas y cortarlas en rodajas.

2. Limpiar las espinacas. Blanquearlas en agua hirviendo con sal unos 2 minutos. Colarlas y prensar bien. Descongelar las espinacas congeladas en una olla a fuego lento. Colar el líquido que desprendan.

3. Pelar la cebolla y picarla fina. Calentar 1 cucharadita de aceite y rehogar la cebolla. Añadir las espinacas y rehogar durante unos 5 minutos. Engrasar una fuente de horno. Intercalar capas de patatas y espinacas.

4. Precalentar el horno a 220 °C. Dejar hervir brevemente la bebida de arroz. Deshacer la fécula en 3 cucharaditas de aceite con la ayuda de un tenedor. Añadir a la bebida de arroz. Cocer la salsa sin tapar y sin dejar de remover, hasta que adquiera una textura cremosa. Sazonar con sal, pimienta y nuez moscada, y echar sobre la verdura. Gratinar en el horno (en el centro; si es por convección a 200 °C) durante 15 ó 20 minutos.

Valor nutricional por ración:

325 kcal • **6 g** proteínas • **23 g** grasas • **23 g** carbohidratos

Colinabo con piña

PARA 2 PERSONAS

2 colinabos grandes
sal yodada
1 cebolla
1/2 piña
30 g de tomates secos
150 ml de caldo de verduras
100 ml de zumo de piña
3 cucharadas de sémola de maíz
1/2 cucharadita de mejorana
recién picada
1 cucharada de sucedáneo de
huevo en polvo
1 cucharada de aceite vegetal
pimienta
1 cucharadita de alcaparras
(de bote)
50 g de arroz

PREPARACIÓN: 45 minutos
COCCIÓN: 30 minutos

1. Pelar el colinabo, reservar las hojas finas. Cortar una tapa a cada uno. Cocer *al dente* los bulbos en agua con sal a fuego medio durante unos 30 minutos. Retirar y dejar templar.

2. Pelar la cebolla y picarla. Cortar la piña a lo largo en tres trozos, pelarla y retirar el troncho central. Cortar la pulpa a dados. Cortar los tomates a daditos.

3. Cocer el caldo, el zumo de piña y la sémola sin dejar de remover. Añadir el tomate, la mejorana y el sucedáneo de huevo y cocer 10 minutos. Dejar enfriar.

4. Precalentar el horno a 200 °C. Vaciar el colinabo hasta conseguir unas paredes finas. Cortar la carne en trozos pequeños. Calentar el aceite y rehogar la cebolla unos 2 minutos. Añadir la piña y el colinabo troceado y cocinar 4 minutos. Mezclar con la sémola, salpimentar y añadir las alcaparras. Rellenar el colinabo con parte de la masa y colocar en una fuente de horno. Asar en el horno (en el centro; si es por convección a 180 °C) unos 30 minutos.

5. Echar el arroz en 150 ml de agua hirviendo. Cocer tapado y a fuego lento durante 20 minutos. Mezclar con el resto de la masa. Picar finamente las hojas del colinabo y repartir por encima del colinabo asado. Servir acompañado del arroz.

Valor nutricional por ración:

715 kcal • **18 g** proteínas • **13 g** grasas • **132 g** carbohidratos

Berenjenas y tomates al horno

PARA 2 PERSONAS

1 berenjena (de 200 g)
200 g de tomates
sal yodada
pimienta
1/2 manojo de albahaca
4 ramitas de tomillo
7 cucharadas de zumo de tomate
1 cucharadita de aceite de oliva
+ aceite para la fuente
1 cucharada de sémola de maíz
fina
pimentón picante

PREPARACIÓN: 25 minutos
COCCIÓN: 30 minutos

1. Lavar la berenjena, limpiar y cocer en abundante agua durante unos 25 minutos.

2. Precalentar el horno a 180 °C. Engrasar una fuente de horno. Lavar los tomates y retirar el pedículo. Cortarlos en rodajas finas. Sacar la berenjena y dejar templar. Cortarla en lonchas finas. Intercalar capas de berenjenas y tomates en la fuente y salpimentar.

3. Lavar la albahaca y el tomillo, secarlos y picar las hojas groseramente. Mezclar con el zumo de tomate, el aceite y la sémola. Sazonar la mezcla con sal, pimienta y un poco de pimentón, y esparcir sobre las verduras. Asar en el horno (en el centro; si es por convección a 160 °C) durante unos 30 minutos.

CONSEJO

Aquellas personas que toleran el queso de oveja pueden repartir 100 g de queso cortado a daditos sobre las verduras antes de meter en el horno.

Valor nutricional por ración:

110 kcal • **2 g** proteínas • **8 g** grasas • **8 g** carbohidratos

Creps de verduras

PARA 2 PERSONAS

50 g de harina de *teff*
25 g de harina de alforfón
3 cucharaditas de fécula de patata
3 cucharaditas de sucedáneo
de huevo en polvo
1 berenjena muy pequeña
1 calabacín pequeño
1 cebolleta
2 cucharadas de aceite de oliva
sal yodada
pimienta
4 hojas pequeñas de lechuga
100 g de *ajvar* suave (puré de
pimiento)
1 cucharada de concentrado de
tomate

PREPARACIÓN: 20 minutos
REPOSO: 30 minutos

CONSEJO

Siguiendo esta receta básica puede preparar creps dulces, saladas y picantes sin gluten ni huevo.

1. Formar una masa con la harina de *teff*, la harina de alforfón, la fécula, el sucedáneo de huevo y 350 ml de agua. Dejar reposar la masa 30 minutos.

2. Lavar la berenjena, el calabacín y la cebolleta, limpiarlos y cortarlos en juliana. Calentar 1 cucharada de aceite en una sartén y dorar las verduras. Salpimentar. Lavar las hojas de lechuga y secarlas.

3. Sazonar la masa de las creps con un poco de sal y pimienta. Calentar unas gotas de aceite en una sartén antiadherente. Echar un cazo de masa y mover con rapidez la sartén para que la masa se reparta bien. Cocer lentamente la crep a fuego entre bajo y medio. Dar la vuelta con cuidado y cocinar por el otro lado. Preparar de esta manera 3 creps. Poner cada vez unas gotas de aceite en la sartén.

4. Mezclar el *ajvar* y el concentrado de tomate y sazonar con un pellizco de sal. Untar las creps con la mezcla de *ajvar* y tomate y cubrir con una hoja de lechuga y las verduras salteadas. Doblar las partes más largas sobre la verdura y enrollar firmemente las creps. Para servir realizar un corte en diagonal por el centro.

VARIANTE

Para los amantes de la comida mexicana existen las fajitas tex-mex: para ello, formar una masa con 80 g de harina de maíz, 20 g de harina de garbanzos y 200 ml de agua. Incorporar 4 cucharadas de aceite vegetal y sazonar con un poco de sal yodada. Dejar reposar la masa 30 minutos. Pelar 1/2 aguacate pequeño y cortar a daditos. Limpiar 4 cebolletas y cortar en anillos finos, incluida la parte verde. Lavar 1 tomate, retirar el pedículo y cortar a daditos. Mezclar con el aguacate y la cebolleta. Sazonar con 1 cucharadita de zumo de limón, un poco de chile en polvo, sal yodada y pimienta. Meter la salsa en el horno a 80 °C. Preparar 4 creps tal como se ha detallado antes. Rellenar las fajitas hasta la mitad con la salsa y doblar.

Valor nutricional por ración:

350 kcal • **6 g** proteínas • **14 g** grasas • **50 g** carbohidratos

Albóndigas crujientes con ensalada de pepino

PARA 2 PERSONAS

2 cebollas pequeñas
50 g de tortitas de arroz
100 g de carne picada mixta
2 cucharadas de sucedáneo de huevo en polvo
1/2 cucharadita de zumo de limón
sal yodada
pimienta
2 cucharadas de aceite vegetal
4 tomates cherry
1 pepino
100 ml de caldo de verduras
1/2 manojo de eneldo

PREPARACIÓN: 40 minutos

1. Pelar las cebollas y picarlas finamente. Desmenuzar muy finas con el rodillo las tortitas de arroz metidas en una bolsa para congelar. Mezclar las migas con la carne picada, el sucedáneo de huevo, el zumo de limón y la mitad de la cebolla. Salpimentar. Formar bolitas con la masa. Calentar el aceite en una sartén antiadherente y dorar las albóndigas unos 3 minutos.

2. Lavar los tomates, retirar el pedículo y cortarlos a cuartos. Pelar el pepino, partirlo a lo largo por la mitad y retirar las pepitas. Cortarlo en semilunas.

3. Cocer el pepino con el resto de la cebolla en un poco de caldo durante 5 minutos a fuego lento. Mezclar el resto del caldo con la fécula. Añadir a las verduras y salpimentar. Incorporar las albóndigas y los tomates a la verdura y calentar brevemente.

4. Lavar el eneldo, secarlo y picar las hojas finamente. Repartir sobre las albóndigas. Las patatas acompañan bien a este plato.

Valor nutricional por ración:

435 kcal • **12 g** proteínas • **21 g** grasas • **44 g** carbohidratos

Tomates con jamón

PARA 2 PERSONAS

2 tomates grandes
1/2 manojo de perejil
1 ramita de romero
50 g de jamón cocido
2 tortitas de arroz
2 cucharaditas de *ajvar* suave (puré de pimiento)
sal yodada
pimienta

PREPARACIÓN: 20 minutos
COCCIÓN: 10 minutos

1. Precalentar el horno a 200 °C. Lavar los tomates y cortar una tapa a cada uno. Vaciar con cuidado los tomates con la ayuda de una cucharita y reservar el interior.

2. Lavar el perejil y el romero y secarlos. Picar las hojas finamente. Cortar el jamón a daditos. Picar muy finamente las tortitas de arroz. Mezclar con las hierbas, el jamón, el *ajvar* y el interior de los tomates. Salpimentar.

3. Rellenar los tomates con parte de la masa y asar en el horno (en el centro; si es por convección a 180 °C) unos 10 minutos. Cocinar el resto de la masa en poca agua y a fuego lento durante unos 5 minutos. Servir acompañando los tomates rellenos.

CONSEJO

Los tomates rellenos de jamón constituyen un plato ligero para la cena. Si se prepara con tomates más pequeños pueden ser un magnífico acompañamiento para platos de verdura. Para variar, puede sustituir las tortitas de arroz por 4 cucharadas de arroz cocido.

Valor nutricional por ración:

90 kcal • **6 g** proteínas • **1 g** grasas • **12 g** carbohidratos

Salteado de jamón y puerro con macarrones

PARA 2 PERSONAS

1 puerro (de 150 g)
100 g de jamón cocido
150 ml de caldo de verduras
1 cucharada de aceite vegetal
pimienta
1 cucharadita de zumo de limón
sal yodada
300 g de macarrones (sin gluten ni huevo)
1 manojo de cebollino

PREPARACIÓN: 20 minutos

1. Limpiar el puerro y retirar la parte más verde. Realizar un corte a lo largo y lavar bien. Cortarlo en anillos finos. Cortar 50 g de jamón a tiras y triturar con la batidora los otros 50 g junto con el caldo.

2. Calentar el aceite en una sartén y dorar brevemente las tiras de jamón. Incorporar el puerro y rehogar otros 5 minutos. Echar el caldo y cocer a fuego medio, sin tapar, durante 5 minutos y sin dejar de remover. Sazonar con la pimienta y el zumo de limón.

3. Cocer la pasta en agua hirviendo con sal, siguiendo las instrucciones del envase para que quede *al dente*. Lavar el cebollino y picarlo finamente. Colar la pasta y dejar que se escurra bien. Incorporar junto con el cebollino a la crema de puerros y jamón.

CONSEJO

Si no tiene problemas de tolerancia al huevo y el gluten puede utilizar pasta al huevo normal.

Valor nutricional por ración:

675 kcal • **31 g** proteínas • **10 g** grasas • **115 g** carbohidratos

Gratinado de maíz y carne picada

PARA 2 PERSONAS

1 pimiento rojo grande
100 g de mazorcas de maíz baby
1 cebolla roja
2 cucharaditas de aceite de oliva + aceite para la fuente
140 g de maíz dulce (de lata)
1/2 manojo de albahaca
150 g de carne picada mixta
100 g de puré de tomate (producto industrial)
sal yodada
pimienta
pimentón dulce
1 cucharada de sucedáneo de huevo en polvo

PREPARACIÓN: 25 minutos
COCCIÓN: 40 minutos

1. Lavar el pimiento, partirlo por la mitad y limpiarlo, retirando las pepitas y las partes blancas del interior. Cortarlo en juliana. Lavar y limpiar las mazorcas de maíz. Calentar 1 cucharadita de aceite y rehogar la cebolla. Añadir el pimiento y las mazorcas y cocer a fuego medio durante unos 3 minutos.

2. Precalentar el horno a 180 °C. Engrasar una pequeña fuente de horno. Colar y dejar escurrir el maíz dulce. Lavar la albahaca, secarla y picar las hojas groseramente. Ca-

lentar 1 cucharadita de aceite y dorar la carne picada a fuego medio durante unos 4 minutos. Añadir el maíz dulce y calentar durante 1 minuto. Incorporar el puré de tomate y la albahaca. Sazonar la salsa con sal, pimienta y pimentón. Añadir el sucedáneo de huevo.

3. Llenar la fuente con la mezcla de pimiento y maíz, y cubrir con la salsa de carne picada. Hornear (en el centro; si es por convección a 160 °C) durante unos 40 minutos con el gratinador.

Valor nutricional por ración:

585 kcal • **24 g** proteínas • **28 g** grasas • **59 g** carbohidratos

Patatas y puerros al horno

PARA 2 PERSONAS

400 g de puerros
250 ml de caldo de verduras
150 g de patatas
1 hoja de laurel
sal yodada
pimienta
nuez moscada
1 cebolla pequeña
150 g de carne picada mixta
1 cucharadita de aceite vegetal

PREPARACIÓN: 25 minutos
COCCIÓN: 30 minutos

1. Limpiar los puerros y retirar la parte más verde. Realizar un corte longitudinal y lavarlos bien. Cortar-los a trozos. Llevar el caldo a ebu-llición y cocer los trozos de puerros a fuego lento durante unos 10 mi-nutos. Lavar las patatas, pelarlas y cortarlas a daditos. Añadir a los puerros y cocer otros 10 minutos. Incorporar la hoja de laurel y sazo-nar las verduras con sal, pimienta y nuez moscada.

2. Pelar la cebolla y picarla fina. Sazonar la carne picada con la ce-bolla, la sal y la pimienta. Calentar el aceite en una sartén y dorar la carne picada.

3. Precalentar el horno a 180 °C. Colar las verduras recuperando el caldo. Añadir éste a la carne pica-da y dejar cocer un rato.

4. Poner las verduras en una fuente para el horno. Repartir por encima la carne picada con su ju-go. Asar en el horno (en la parte de abajo; si es por convección a 160 °C) durante unos 30 minutos.

VARIANTE

Aquellas personas que toleran el queso, pueden añadir 50 g de queso gouda rallado grueso por encima y gratinar.

Valor nutricional por ración:

330 kcal • **26 g** proteínas • **19 g** grasas • **14 g** carbohidratos

Salteado de mijo y garbanzos con tiras de pavo

PARA 2 PERSONAS

70 g de garbanzos secos
1 zanahoria pequeña
1 colinabo pequeño
1 cebolla
1 diente de ajo
1 tomate
250 ml de caldo de verduras
100 g de mijo
1 trozo de jengibre fresco, 2 cm
1/2 cucharadita de curry suave
sal yodada
pimienta
1/2 manojo de perejil
200 g de filete de pavo
1 cucharada de aceite de oliva

PREPARACIÓN: 55 minutos
REMOJO: 12 horas

1. Poner en remojo los garbanzos durante un mínimo de 12 horas o toda la noche. Colar, cubrir con agua y cocer a fuego lento durante 40 minutos.

2. Pelar la zanahoria y el colinabo y cortarlos en bastones cortos. Pe-lar la cebolla y el ajo y picarlos muy finos. Lavar el tomate, retirar el pe-dículo y cortarlo a daditos.

3. Cocer la cebolla, el ajo y el to-mate en el caldo. Añadir la zanaho-ria y el colinabo y cocer otros 5 minutos. Incorporar el mijo y dejar cocer tapado y a fuego lento du-rante 10 minutos. Pelar el jengibre y rallarlo fino. Añadir a las verdu-ras junto con el curry, la sal y la pi-mienta.

4. Colar los garbanzos y dejar que se escurran. Mezclar con las verdu-ras y el mijo. Lavar el perejil, secar-lo y picar las hojas.

5. Secar la carne. Calentar el aceite y dorar el pavo 2 minutos por cada lado. Retirar, cortar a tiras y salpi-mentar. Servir junto con las verdu-ras. Adornar con el perejil picado.

Valor nutricional por ración:

535 kcal • **37 g** proteínas • **16 g** grasas • **61 g** carbohidratos

Nuggets de pavo con salteado de verduras

PARA 2 PERSONAS

1 berenjena pequeña
1/4 de pepino
4 tomates
1 pimiento amarillo
1 diente de ajo
2 cebolletas
1 cucharada de aceite de oliva
4 cucharadas de caldo de verduras
sal yodada
pimienta
1 cucharadita de romero recién picado
1 cucharada de tomillo recién picado
200 g de filete de pavo
3 cucharadas de sémola de maíz
pimentón
2 cucharadas de aceite vegetal

PREPARACIÓN: 35 minutos

1. Lavar la berenjena, el pepino, los tomates y el pimiento. Retirar el pedículo de los tomates. Partir el pimiento por la mitad y retirar las pepitas y las partes blancas del interior. Cortar todas las verduras a dados grandes. Pelar el ajo, lavar las cebolletas y limpiarlas. Picar ambos finamente.

2. Calentar el aceite de oliva y rehogar el ajo y la cebolla. Añadir la berenjena, el pimiento y el caldo. Cocer todo a fuego medio unos 5 minutos. Sazonar con sal, pimienta, romero y tomillo.

3. Incorporar el pepino y el tomate. Dejar cocer 5 minutos más a fuego lento.

4. Secar la carne con papel de cocina y trocear. Poner la sémola en un plato. Sazonar con sal, pimienta y un poco de pimentón. Rebozar los trozos de pavo. Calentar el aceite vegetal en una sartén y freír los *nuggets* a fuego medio. Servir acompañado del salteado de verduras.

Valor nutricional por ración:

350 kcal • **29 g** proteínas • **17 g** grasas • **20 g** carbohidratos

Verduras de verano sobre filete de pavo con arroz al curry

PARA 2 PERSONAS

2 filetes de pavo (de unos 150 g cada uno)
sal yodada
curry suave
6 cucharadas de zumo de pomelo
6 cucharadas de zumo de uva blanca
250 ml de caldo de verduras
100 g de arroz integral
1 cebolla pequeña
1 pimiento rojo
1 colinabo pequeño
2 cucharadas de aceite vegetal
100 g de maíz dulce (de lata)

PREPARACIÓN: 40 minutos
MARINADO: 1 hora

1. Secar la carne y aplanarla. Mezclar 1/4 de cucharadita de sal, 1/2 cucharadita de curry, el zumo de pomelo y el zumo de uva. Marinar en esta mezcla la carne durante 1 hora.

2. Llevar a ebullición el caldo con 1/2 cucharadita de curry. Introducir el arroz y cocer tapado y a fuego lento durante 40 minutos.

3. Pelar la cebolla y picarla fina. Lavar el pimiento, partirlo por la mitad y retirar las pepitas y las partes blancas del interior. Cortarlo en juliana. Pelar el colinabo y cortarlo a daditos. Calentar 1 cucharada de aceite en una olla y rehogar la cebolla y el colinabo. Añadir el pimiento y rehogar tapado a fuego lento 2 minutos.

4. Escurrir el maíz. Mezclar con las verduras y la mitad de la marinada. Cocer destapado a fuego lento durante 8 minutos. Salpimentar y añadir el curry.

5. Retirar la carne de la marinada y secar. Calentar 1 cucharada de aceite y dorar el filete por ambos lados. Salpimentar. Salpimentar el arroz. Servir con las verduras y el filete.

Valor nutricional por ración:

660 kcal • **47 g** proteínas • **15 g** grasas • **83 g** carbohidratos

Pechuga de pollo marinada
con dados de verduras y salsa de albahaca

PARA 2 PERSONAS

300 g de pechuga de pollo
100 ml de zumo de pomelo
400 ml de caldo de verduras
2 cucharadas de mermelada de naranja
sal yodada
pimienta
400 g de zanahorias tiernas pequeñas
500 g de colinabos
azúcar
1 cucharada de aceite vegetal
1/4 de manojo de albahaca
1/4 de cucharadita de fécula de patata
1/2 cucharadita de zumo de limón

PREPARACIÓN: 30 minutos
MARINADO: 12 horas

1. Secar la carne con papel de cocina. Mezclar el zumo de pomelo, 200 ml de caldo, la mermelada, la sal y la pimienta. Marinar la pechuga un mínimo de 12 horas o durante toda la noche.

2. Limpiar las zanahorias y los colinabos, pelarlos y cortarlos a daditos. Cocer la verdura en 150 ml de caldo a fuego lento. Salpimentar y añadir un poco de azúcar.

3. Sacar la pechuga de pollo de la marinada y secarla. Reservar la marinada. Calentar el aceite en una sartén y dorar la pechuga 2 minutos de cada lado. Salpimentar. Sacar de la sartén y mantener caliente. Echar la marinada a la sartén y dejar reducir para conseguir una salsa.

4. Lavar la albahaca, secarla y picar finamente las hojas. Cocer brevemente en 50 ml de caldo, con la fécula de patata y el zumo de limón. Salpimentar un poco.

5. Echar la salsa de albahaca sobre las verduras. Filetear la pechuga de pollo y bañar con la salsa reducida.

CONSEJO

La marinada también queda muy buena con 50 ml de zumo de pomelo y 50 ml de salsa de soja, aunque sólo en el caso de que no exista alergia a la soja.

VARIANTE

Aquellas personas que toleren el pescado, pueden preparar esta receta con atún en lugar de pollo. En ese caso, preparar el atún a última hora, dejándolo cocinarse a fuego medio 1 minuto de cada lado. El atún está mucho más bueno si el centro queda un poco crudo. De otra manera se seca en seguida.

Valor nutricional por ración:

430 kcal • **51 g** proteínas • **10 g** grasas • **33 g** carbohidratos

Muslo de pollo escondido

PARA 2 PERSONAS

2 ramitas de romero
2 ramitas de tomillo
2 cucharadas de aceite de oliva
2 cucharadas de zumo de limón
sal yodada
pimienta
1 muslo de pollo grande (de 400 g)
1 cebolleta
2 dientes de ajo
400 g de tomates cherry
300 g de berenjena
1 cucharada de concentrado de tomate

PREPARACIÓN: 35 minutos
MARINADO: 1 hora
COCCIÓN: 40 minutos

1. Lavar el romero y el tomillo, secarlos y picar las hojas finamente. Mezclar con 1 cucharada de aceite y el zumo de limón y salpimentar. Secar el pollo y untarlo con la marinada. Dejar reposar 1 hora.

2. Lavar y limpiar la cebolleta. Picar la parte blanca finamente. Pelar el ajo y picarlo también finamente. Lavar los tomates y cortarlos por la mitad o a cuartos según su tamaño. Lavar la berenjena y cortarla a dados de aproximadamente 1 cm. Mezclar con la cebolla, el ajo, los tomates y el concentrado de tomate. Salpimentar.

3. Precalentar el horno a 200 °C. Secar la carne. Calentar 1 cucharada de aceite en una sartén y dorar el pollo 4 minutos de cada lado. Colocar en una fuente de horno y repartir las verduras por encima. Asar tapado en el horno (en la parte de abajo; si es por convección a 180 °C) durante unos 40 minutos. Servir el pollo acompañado de las verduras.

Valor nutricional por ración:

430 kcal • **31 g** proteínas • **28 g** grasas • **14 g** carbohidratos

Rollito de pollo con higos

PARA 2 PERSONAS

500 g de patatas de textura firme
sal yodada
2 filetes gruesos de pechuga de pollo
pimienta
4 lonchas de jamón de Parma
2 higos maduros
1 cebolla grande
1 diente de ajo
1 zanahoria de tamaño medio
1 cucharadita de aceite de oliva
1 ramita de tomillo
1 hoja de laurel pequeña
300 ml de caldo de ave

PREPARACIÓN: 40 minutos

1. Lavar las patatas, pelarlas y cocerlas en poca agua con sal unos 25 minutos. Escurrir.

2. Secar la carne y cortarla a lo largo. Aplanarla. Salpimentar un poco. Colocar cada trozo entre dos lonchas de jamón. Pelar los higos, partirlos por la mitad y colocar sobre los filetes. Enrollar firmemente los filetes de pollo envueltos en el jamón. Envolver con papel de aluminio y cerrar con cuidado. Calentar un cazo de agua con sal y cocer los rollitos a fuego lento durante 30 minutos.

3. Pelar la cebolla, el ajo y la zanahoria y cortarlos a dados pequeños. Calentar el aceite y rehogar las verduras. Lavar el tomillo y secarlo. Añadir las hojas a las verduras junto con la hoja de laurel. Rehogar un poco más. Echar el caldo y cocer a fuego medio durante unos 10 minutos. Retirar la hoja de laurel y triturar la salsa. Salpimentar y volver a calentar brevemente.

4. Desenvolver los rollitos y cortarlos a rodajas. Servir acompañados de las patatas y la salsa.

Valor nutricional por ración:

680 kcal • **63 g** proteínas • **27 g** grasas • **41 g** carbohidratos

Filete de cerdo relleno con arroz de espinacas

PARA 2 PERSONAS

200 ml de caldo de verduras

50 g de arroz precocido

300 g de hojas de espinacas congeladas

2 pequeños filetes de cerdo (de 150 g cada uno)

sal yodada

pimienta

nuez moscada

1 cucharada de zumo de limón

1 cucharada de aceite de oliva

1/2 manojo de albahaca

4 mondadientes para fijar

PREPARACIÓN: 30 minutos

1. En un cazo llevar a ebullición 100 ml de caldo. Echar el arroz y cocer tapado, a fuego lento, unos 20 minutos.

2. Dejar descongelar las espinacas en 50 ml de caldo hirviendo. Realizar un corte lateral en los filetes para formar un gran bolsillo. Salpimentar por dentro y por fuera. Sazonar las espinacas con sal, pimienta, abundante nuez moscada y el zumo de limón. Rellenar los filetes con una tercera parte de las espinacas. Cerrar la abertura con 2 mondadientes.

3. Calentar el aceite en una sartén y dorar los filetes 3 minutos por cada lado. Retirar y dejar reposar 5 minutos. Lavar la albahaca, secarla y picar finamente las hojas. Mezclar junto con las espinacas y el arroz. Sazonar el arroz de espinacas con sal, pimienta y nuez moscada.

4. Desglasar la sartén donde hemos dorado la carne con 50 ml de caldo y llevar a ebullición. Salpimentar. Servir los filetes con el arroz de espinacas y bañarlo todo con la salsa reducida.

Valor nutricional por ración:

320 kcal • **38 g** proteínas • **9 g** grasas • **23 g** carbohidratos

Brocheta de solomillo de cerdo con nectarinas

PARA 2 PERSONAS

200 g de solomillo de cerdo

2 nectarinas

50 g de *ajvar* suave (puré de pimiento)

50 ml de zumo de naranja

1/2 cucharadita de curry

2 cucharadas de concentrado de tomate

250 ml de caldo de verduras

100 g de arroz integral

sal yodada

pimienta

2 cucharadas de aceite de oliva

4 brochetas para carne

PREPARACIÓN: 30 minutos

MARINADO: 2 horas

COCCIÓN: 40 minutos

1. Secar la carne y cortarla a dados grandes. Lavar las nectarinas, partirlas por la mitad y retirar el hueso. Cortar en gajos gruesos. Ensartar en la brocheta la carne y los trozos de fruta de manera alterna.

2. Mezclar el *ajvar*, el zumo de naranja, el curry y el concentrado de tomate. Untar las brochetas con la marinada y dejar reposar en un lugar fresco durante 2 horas.

3. Llevar el caldo a ebullición. Echar el arroz y cocer tapado a fuego lento durante 40 minutos. Salpimentar.

4. Calentar el aceite en una sartén. Asar las brochetas a fuego medio unos 10 minutos. Salpimentar. Servir las brochetas acompañadas del arroz.

VARIANTE

Fuera de la temporada de la nectarina, la brocheta también queda muy bien con manzana dulce.

Valor nutricional por ración:

470 kcal • **27 g** proteínas • **16 g** grasas • **54 g** carbohidratos

Carne de cerdo marinada con zanahorias caramelizad

PARA 2 PERSONAS

300 g de carne de cerdo
100 ml de zumo de pomelo
2 cucharadas de azúcar
1 cucharadita de romero recién picado
1 cucharada de tomillo recién picado
1/2 manojo de perejil
50 ml de caldo de ave
1 cucharada de aceite de pepita de uva
1 cucharada de harina de arroz
1 cucharadita de zumo de limón
sal yodada
250 g de zanahorias
1 cucharadita de azúcar glas
50 ml de caldo de verduras
1 cucharada de aceite vegetal
pimienta

PREPARACIÓN: 35 minutos
MARINADO: 3 horas

1. Cortar los filetes en tiras anchas. Mezclar el zumo de pomelo con el azúcar, el romero y el tomillo. Meter en una bolsa de congelado junto con la carne. Cerrar y dejar 3 horas en el frigorífico.

2. Lavar el perejil, secarlo y picar las hojas muy finamente. Triturar con la batidora junto con el caldo de ave, el aceite de pepita de uva, la harina de arroz y el zumo de limón. Hervir brevemente la mezcla y salar. Mantener la salsa caliente.

3. Limpiar las zanahorias, pelarlas y cortarlas oblicuamente en rodajas finas. Caramelizar el azúcar glas a fuego lento. Rehogar en el caramelo la zanahoria. Echar el caldo de verduras. Mantener la verdura caliente a fuego lento. Salpimentar.

4. Retirar las tiras de carne de la marinada y secar. Calentar el aceite en una sartén y dorar la carne. Salpimentar. Echar por encima una tercera parte de la marinada. Servir acompañada de la zanahoria caramelizada y la salsa de perejil.

Valor nutricional por ración:

405 kcal • **37 g** proteínas • **17 g** grasas • **26 g** carbohidratos

Risotto con colinabo y solomillo de cerdo

PARA 2 PERSONAS

1 cebolleta
1 colinabo pequeño
150 g de solomillo de cerdo
600 ml de caldo de carne
2 cucharadas de aceite vegetal
150 g de arroz para *risotto* (vialone o arborio)
1 pellizco de azafrán molido
sal yodada
pimienta
100 g de maíz dulce (de lata)
1/4 de manojo de cebollino

PREPARACIÓN: 30 minutos

1. Limpiar la cebolleta y cortar la parte blanca en rodajas finas. Pelar el colinabo y reservar las hojas tiernas. Cortar el bulbo a daditos. Secar la carne y cortarla también a dados pequeños. Llevar el caldo a ebullición.

2. Calentar el aceite en una cazuela y rehogar la cebolleta. Añadir el colinabo y la carne y dorarlos a fuego medio sin dejar de remover.

3. Echar el arroz y rehogar otros 3 minutos. Sazonar con azafrán, sal y

pimienta. Bañar con caldo caliente hasta que el arroz quede cubierto. Dejar cocer lentamente a fuego suave. Ir añadiendo pequeñas cantidades de caldo a medida que lo necesite y dejar cocer 20 minutos.

4. Escurrir el maíz. Añadir al *risotto*. Lavar el cebollino, secarlo y picar fino. Servir el *risotto* y adornarlo con el cebollino picado.

Valor nutricional por ración:

620 kcal • **29 g** proteínas • **15 g** grasas • **94 g** carbohidratos

Carne de cerdo con ensalada roja y verde

PARA 2 PERSONAS

2 naranjas biológicas
1 diente de ajo
sal yodada
2 filetes de cerdo pequeños
(de 170 g cada uno)
200 g de tomates cherry
1 cebolla roja pequeña
pimienta
1 cucharada de vinagre balsámico
negro
2 cucharadas de aceite de oliva
1 lima
1/2 aguacate
1 cucharadita de zumo de limón
PREPARACIÓN: 40 minutos
MARINADO: 1 hora

1. Lavar 1 naranja con agua caliente y secarla. Rallar la cáscara finamente y exprimir el zumo. Pelar el ajo y rallarlo. Mezclar con la ralladura de naranja, el zumo y 1/2 cucharadita de sal. Poner la marinada y la carne en una bolsa para congelar y cerrar. Impregnar bien la carne con la marinada y reservar en el frigorífico 1 hora.

2. Para la ensalada roja, lavar y cortar a cuartos los tomates. Pelar la cebolla y cortarla muy fina. Mezclar con el tomate. Salpimentar y aliñar con el vinagre y 1 cucharada de aceite.

3. Para la ensalada verde, pelar 1 naranja y la lima. Sacar los gajos entre las membranas de separación y recoger el zumo. Pelar el aguacate y cortarlo a daditos. Mezclar con el zumo de la lima, la naranja y el limón y con los gajos. Salpimentar.

4. Retirar la carne de la marinada y secarla. Calentar 1 cucharada de aceite y dorar la carne 4 minutos por cada lado. Retirar y mantener caliente. Desglasar la sartén con la marinada y reducir hasta obtener una salsa cremosa. Servir los filetes con la reducción y las dos ensaladas.

Valor nutricional por ración:

440 kcal • **40 g** proteínas • **25 g** grasas • **14 g** carbohidratos

Carne de cerdo con salsa de setas

PARA 2 PERSONAS

1 ramita de romero
300 g de patatas
200 g de calabacín
2 cucharadas de aceite de oliva
sal yodada
pimienta
pimentón picante
200 ml de bebida de arroz
100 g de champiñones
1 cebolla
200 g de filete de cerdo
1 cucharadita de fécula de patata
PREPARACIÓN: 50 minutos

1. Lavar el romero, secarlo y picar las hojas finamente. Lavar las patatas, pelarlas y cortarlas a daditos. Lavar el calabacín, partirlo a lo largo por la mitad y cortarlo en medialunas finas.

2. Calentar 1 cucharada de aceite en una cazuela y rehogar las patatas. Añadir el calabacín, el romero, la sal, la pimienta y el pimentón. Incorporar 100 ml de bebida de arroz y cocer las verduras tapadas y a fuego lento durante 35 minutos.

3. Limpiar los champiñones y cortarlos a láminas. Pelar la cebolla y picarla fina. Aplanar la carne. Calentar 1 cucharada de aceite en una sartén y dorarla brevemente por ambos lados. Salpimentar. Retirar y mantener caliente.

4. Rehogar la cebolla en el mismo aceite. Añadir las setas y rehogar. Echar 100 ml de bebida de arroz. Diluir la fécula con un poco de agua y añadir. Llevar a ebullición y cocer a fuego lento durante 5 minutos. Salpimentar la salsa. Cortar la carne a tiras. Servir acompañada de las verduras y la salsa de setas.

Valor nutricional por ración:

350 kcal • **30 g** proteínas • **14 g** grasas • **27 g** carbohidratos

Rollito de ternera con champiñones

PARA 2 PERSONAS

2 lonchas finas de carne de ternera
(de 150 g cada una)
sal yodada
pimienta
150 g de champiñones
1/4 de manojo de perejil
1 puerro muy fino
1 cucharada de aceite de oliva
50 ml de caldo de verduras
4 mondadientes

PREPARACIÓN: 40 minutos

1. Secar la carne y salpimentar. Limpiar los champiñones y cortarlos en láminas finas. Lavar el perejil, secarlo y picar las hojas finamente.

2. Lavar el puerro y desechar la parte más verde. Realizar un corte a lo largo y lavar bien. Separar las hojas y blanquear en agua hirviendo con sal durante 3 minutos. Meter en agua fría y escurrir. Partir las hojas por la mitad y repartirlas sobre las lonchas de carne. Enrollar y fijar con 2 mondadientes.

3. Calentar el aceite en una sartén y dorar los rollitos de carne durante unos 5 minutos. Retirar y mantener calientes.

4. Echar los champiñones en el mismo aceite y rehogar. Añadir el caldo y cocer a fuego medio durante 5 minutos. Salpimentar la salsa e incorporar el perejil. Servir acompañando a la carne.

Valor nutricional por ración:

250 kcal • **35 g** proteínas • **11 g** grasas • **2 g** carbohidratos

Medallones de ternera con salteado de puerros

PARA 2 PERSONAS

2 ramitas de romero
500 g de patatas
sal yodada
300 g de filete falso
1 puerro grueso
1 cucharada de aceite vegetal
2 cucharadas de pasas no sulfatadas
100 ml de fondo de carne
1 cucharada de vinagre balsámico claro
pimienta

PREPARACIÓN: 30 minutos

1. Lavar las pasas y secarlas. Lavar las patatas y pelarlas. Cocerlas junto con las pasas en un cazo de agua con sal, tapado y a fuego lento, durante unos 25 minutos. Escurrir.

2. Entretanto, secar la carne y cortarla en trozos de 3 cm de ancho. Limpiar el puerro y descartar la parte más verde. Realizar un corte a lo largo y lavar bien. Cortarlo en rodajas finas.

3. Precalentar el horno a 70 °C. Calentar el aceite en una sartén y dorar bien los medallones durante

unos 3 minutos por todos sus lados. Retirar y meter en el horno (no es recomendable poner la convección). Poner el puerro y las pasas en el mismo aceite y rehogar unos 4 minutos sin dejar de remover. Añadir el fondo y el vinagre y cocer sin tapar y a fuego lento durante 10 minutos. Salpimentar la verdura.

4. Sacar la carne del horno. Añadir el jugo al puerro. Salpimentar los medallones y servir acompañados del puerro y las patatas.

Valor nutricional por ración:

405 kcal • **37 g** proteínas • **12 g** grasas • **38 g** carbohidratos

Guiso de ternera y tomate

PARA 2 PERSONAS

300 g de carne de ternera
(de la pierna)
2 cucharadas de harina de alforfón
pimienta
1/2 paquete de verduras para el
caldo
1 cebolla grande
2 dientes de ajo
2 cucharadas de aceite de oliva
3 cucharadas de vinagre balsámico
negro
3 cucharadas de concentrado de
tomate
150 ml de caldo de carne
5 ramitas de tomillo
500 g de tomates
1/4 de manojo de perejil
sal yodada

PREPARACIÓN: 40 minutos

1. Secar la carne y cortarla en dados de 3 cm. Enharinar con la harina de alforfón y sazonar con pimienta. Lavar las hierbas para el caldo y trocearlas. Pelar y picar la cebolla y el ajo.

2 Calentar el aceite y rehogar la cebolla. Incorporar el vinagre y dorar ligeramente la cebolla. Añadir el ajo y las hierbas para el caldo y rehogar 5 minutos sin dejar de remover. Incorporar la carne y el concentrado de tomate y dorar. Echar el caldo. Lavar el tomillo, secarlo y añadir las hojas al guiso.

3. Dibujar una cruz con el cuchillo en los tomates y blanquear 30 segundos en agua hirviendo. Pelarlos y cortarlos en dados grandes, retirando el pedículo. Añadir a la carne y cocer sin tapar y a fuego medio durante 10 minutos.

4. Lavar el perejil, secarlo y picar finamente las hojas. Añadirlo al guiso y salpimentar. Las patatas acompañan bien este guiso.

Valor nutricional por ración:

445 kcal • **36 g** proteínas • **21 g** grasas • **20 g** carbohidratos

Espaguetis con ragú de ternera

PARA 2 PERSONAS

150 g de bistec de ternera
(de la cadera)
1 zanahoria
1 cebolla pequeña
1 puerro delgado
100 g de alubias (de bote)
1 cucharadita de aceite
sal yodada
pimienta
mejorana seca
100 ml de zumo de tomate
250 g de espaguetis
(sin gluten ni huevo)

PREPARACIÓN: 35 minutos

1. Secar la carne y cortarla en trozos de 2 cm. Limpiar la zanahoria, pelarla y cortarla en dados pequeños. Pelar la cebolla y picarla finamente. Limpiar el puerro y descartar la parte más verde. Hacer un corte a lo largo y lavar bien. Cortarlo en anillas finas. Dejar escurrir las alubias.

2. Calentar el aceite en una cazuela. Rehogar la carne y la cebolla. Salpimentar y añadir la mejorana. Incorporar la zanahoria y el puerro. Cubrir con el zumo de tomate y cocer a fuego lento y sin tapar durante unos 15 minutos.

3. Cocer *al dente* la pasta en agua hirviendo con sal, siguiendo las instrucciones del envase. Añadir las alubias al ragú en el último momento para que se calienten. Colar la pasta y dejar escurrir. Servir acompañando el ragú.

CONSEJO

¿Tolera el apio? En ese caso, sustituya el puerro por una rama de apio.

Valor nutricional por ración:

755 kcal • **45 g** proteínas • **6 g** grasas • **130 g** carbohidratos

Platos principales de carne

Cordero con hinojo y patatas al romero

PARA 2 PERSONAS

500 g de patatas
sal yodada
4 cucharaditas de romero seco
200 g de pierna de cordero
2 cucharadas de aceite de oliva
1 cucharadita de semillas de hinojo
1 cucharadita de tomillo seco
1/4 de cucharadita de pimienta molida
2 dientes de ajo
1 bulbo grande de hinojo
150 ml de caldo de carne
papel de hornear

PREPARACIÓN: 35 minutos
MARINADO: 20 minutos
COCCIÓN: 40 minutos

1. Precalentar el horno a 180 ºC. Forrar una placa de horno con el papel de hornear. Lavar las patatas, pelarlas y cortarlas a gajos a lo largo. Extender sobre la placa de horno. Espolvorear con 1/4 de cucharadita de sal y 3 cucharaditas de romero y asar al horno (en el centro; si es por convección a 160 ºC) unos 40 minutos.

2. Entre tanto, secar la carne y cortarla en lonchas pequeñas. Meter en una bolsa para congelar con 1 cucharada de aceite de oliva, las semillas de hinojo, el tomillo, la pimienta y 1 cucharadita de romero.

Pelar los ajos y rallarlos. Cerrar la bolsa. Impregnar bien la carne con la marinada y reservar durante 20 minutos en el frigorífico.

3. Lavar el hinojo, limpiarlo y cortarlo a lo largo en cuatro rodajas. Cocer el hinojo en poca agua con sal durante unos 10 minutos.

4. Retirar la carne de la marinada y secarla. Calentar 1 cucharada de aceite en una sartén y dorar la carne por ambos lados. Bañar con el caldo y añadir el hinojo. Cocer todo tapado y a fuego lento durante 10 minutos. Servir acompañado de las patatas al romero.

Valor nutricional por ración:

525 kcal • **25 g** proteínas • **29 g** grasas • **34 g** carbohidratos

Saltimbocca alla romana con arroz de guisantes

PARA 2 PERSONAS

1 cebolla pequeña
500 ml de caldo de ave
2 cucharadas de aceite de oliva
100 g de guisantes congelados
100 g de arroz largo
sal yodada
pimienta
4 hojas de salvia
2 bistecs finos de ternera
2 lonchas grandes de jamón de Parma
4 mondadientes para fijar

PREPARACIÓN: 35 minutos

1. Pelar la cebolla y picarla fina. Calentar el caldo y reservar 5 cucharadas del mismo. Calentar 1 cucharadita de aceite en una cazuela y rehogar la cebolla. Echar los guisantes y el arroz y bañar con 100 ml de caldo caliente. Cocer el arroz a fuego lento hasta que el caldo se haya reducido por completo. Repetir este procedimiento hasta que el arroz esté hecho. Salpimentar el arroz de guisantes.

2. Mientras tanto, lavar la salvia y secarla. Partir por la mitad los bistecs y las lonchas de jamón. Poner un trozo de jamón sobre cada trozo de carne. Sazonar con pimienta y cubrir con una hoja de salvia. Fijar con un mondadientes.

3. Calentar el resto del aceite en una sartén y dorar la carne 2 minutos por cada lado. Retirar y colocar sobre el arroz de guisantes.

4. Desglasar la sartén con las 5 cucharadas de caldo reservadas previamente y llevar a ebullición. Salpimentar. Servir el *saltimbocca* con la salsa y el arroz de guisantes.

Valor nutricional por ración:

575 kcal • **53 g** proteínas • **22 g** grasas • **48 g** carbohidratos

Frutas con jarabe de naranja

PARA 2 PERSONAS

1/2 vaina de vainilla
4 cucharadas de azúcar
6 cápsulas de cardamomo
100 ml de zumo de naranja
2 limas biológicas
2 pomelos
2 nectarinas
2 ramitas de melisa

PREPARACIÓN: 20 minutos

1. Abrir longitudinalmente la vaina de vainilla y raspar las semillas. Mezclarlas con el azúcar. Majar groseramente el cardamomo en el mortero. Hervir el zumo de naranja con el azúcar vainillado y el cardamomo. Cocer sin tapar unos 15 minutos hasta conseguir una consistencia de jarabe.

2. Lavar las limas con agua caliente y secarlas. Rallar muy finamente la cáscara. Pelar las limas y los pomelos, retirando por completo la piel blanca. Sacar los gajos entre las membranas de separación, recogiendo el zumo. Añadir la ralladura de la lima y el zumo al jarabe. Dejar enfriar.

3. Lavar las nectarinas, partirlas por la mitad y retirar el hueso. Cortar en gajos delgados. Lavar la melisa, secarla y separar las hojas.

4. Repartir los trozos de fruta y la melisa en dos copas de postre. Bañar con el jarabe de naranja pasado por un colador.

Valor nutricional por ración:

195 kcal • **2 g** proteínas • **0 g** grasas • **49 g** carbohidratos

Sopa de cerezas con bolitas de sémola de maíz

PARA 2 PERSONAS

150 g de cerezas ácidas deshuesadas (frescas o de bote)
300 ml de zumo de cereza
1/4 de cucharadita de cáscara rallada de limón biológico
4 cucharadas de azúcar
1 cucharada de fécula de patata
canela
150 ml de bebida de arroz (sin soja ni derivados lácteos)
1 cucharada de azúcar
1 sobre de azúcar vainillado
50 g de sémola de maíz
1 cucharada de sucedáneo de huevo en polvo

PREPARACIÓN: 20 minutos

1. Dejar escurrir bien las cerezas ácidas. Mezclar en una cazuela la fruta con el zumo de cereza, la ralladura de limón y el azúcar. Calentar y a los 5 minutos dejar reposar. Las cerezas de bote precisan una cocción más breve. Diluir la fécula de patata con un poco de agua fría e incorporarla a las cerezas y dejar hervir. Sazonar la sopa de cerezas con canela.

2. Para las bolitas de sémola, hervir la bebida de arroz con la margarina, el azúcar y el azúcar vainillado. Añadir la sémola y el sucedáneo de huevo y remover hasta que se forme una pasta. Dejar enfriar la masa de sémola.

3. Formar unas 10 bolitas con la masa de sémola. Meterlas en agua hirviendo suavemente. Las bolitas estarán hechas cuando suban a la superficie. Retirarlas, secarlas y servirlas acompañando a la sopa de cerezas.

CONSEJO

¿Problemas con las cerezas? En ese caso, prepare la sopa con 150 g de frutas del bosque y zumo de pera. El sucedáneo de huevo sólo es necesario si tiene alergia al huevo. De no ser así, sustituya el sucedáneo por un huevo entero.

Valor nutricional por ración:

400 kcal • **5 g** proteínas • **3 g** grasas • **88 g** carbohidratos

Jalea de frutas del bosque con salsa de vainilla

PARA 2 PERSONAS

3 hojas de gelatina

75 g de grosellas, arándanos y frambuesas

200 ml de zumo de bayas de saúco

2 cucharadas de azúcar

5 sobres de azúcar vainillado

1 cucharada de zumo de limón

3 cucharaditas de fécula de patata

250 ml de bebida de arroz

1 pellizco de azafrán molido

PREPARACIÓN: 25 minutos

ENFRIADO: 2 horas

1. Sumergir la gelatina 10 minutos en agua fría. Lavar bien las frutas del bosque y secarlas. Desgranar las grosellas y retirar las hojas del cáliz de las frambuesas y los arándanos. Estrujar la gelatina y cocer con el zumo de bayas de saúco, el azúcar, 2 sobres de azúcar vainillado y el zumo de limón.

2. Añadir las frutas al zumo caliente. Verter la jalea en dos cuencos de postre y dejar enfriar. Meter unas 2 horas en el frigorífico hasta que esté bien cuajada.

3. Para la salsa de vainilla, diluir la fécula en la bebida de arroz evitando que queden grumos. Llevar a ebullición y añadir tres sobres de vainilla azucarada. Cocer la mezcla sin dejar de remover hasta que adquiera una consistencia cremosa. Teñir la salsa de amarillo con el azafrán. Servir acompañando a la jalea.

CONSEJO

Si tolera bien la leche, utilice leche normal (1,5 % de materia grasa) en lugar de la bebida de arroz.

Valor nutricional por ración:

270 kcal • **9 g** proteínas • **2 g** grasas • **53 g** carbohidratos

Manzana marinada con salsa de manzanas

PARA 2 PERSONAS

1 trozo de jengibre fresco (de aproximadamente 2 cm)

1/2 limón biológico

200 ml de zumo de manzana

2 cucharadas de jarabe de canela

1 manzana grande

20 g de pasas no sulfatadas

1 cucharada de fécula de patata

PREPARACIÓN: 20 minutos

MARINADO: 30 minutos

1. Pelar el jengibre y picarlo muy fino. Limpiar el limón con agua caliente y secarlo. Rallar muy finamente la cáscara y exprimir el zumo. Añadir al zumo de manzana y el jarabe de canela y llevar a ebullición. Cocer destapado y a fuego lento durante 5 minutos.

2. Lavar la manzana, partirla por la mitad con piel y retirar el corazón. Cortar a gajos. Añadir la manzana y las pasas al jugo caliente. Llevar a ebullición y retirar del fuego. Dejar marinar la manzana un mínimo de 30 minutos en el jugo, removiendo de vez en cuando.

3. Repartir la manzana y las pasas en dos cuencos de postre. Llevar a ebullición la marinada. Diluir la fécula con 4 cucharadas de agua fría y añadir al jugo hirviendo. Verter la salsa sobre la manzana.

CONSEJO

Aquellas personas que no toleran la fruta con pepitas, ni tan siquiera cocida, pueden marinar gajos de pomelo en una salsa de zumo de uva.

Valor nutricional por ración:

175 kcal • **1 g** proteínas • **1 g** grasas • **42 g** carbohidratos

Arroz de melón con uvas

PARA 2 PERSONAS

1/2 vaina de vainilla
150 ml de bebida de arroz
50 g de arroz redondo integral
75 g de melón cantaloupe
10 uvas sin pepitas

PREPARACIÓN: 15 minutos
REMOJO: 45 minutos

1. Abrir la vaina de vainilla longitudinalmente y raspar las semillas. Hervir ambas partes con la bebida de arroz. Echar el arroz y cocer tapado a fuego lento durante unos 40 minutos. Remover de vez en cuando.

2. Retirar las pepitas del melón. Pelarlo y cortarlo en trozos pequeños. Lavar las uvas, secarlas y partirlas por la mitad.

3. Retirar la vaina de vainilla del arroz. Incorporar los trocitos de melón y cocer el arroz otros 5 minutos.

4. Sumergir una taza en agua caliente y llenarla con la mitad del arroz. Presionar y desmoldar sobre un platito. Proceder de la misma manera con el resto del arroz. Adornar el arroz de melón con la uva.

CONSEJO

Si tiene alergia al melón, utilice simplemente otra fruta blanda y dulce de su preferencia. ¿Cómo quedaría, por ejemplo, con pera o con mango?

Valor nutricional por ración:

140 kcal • **4 g** proteínas • **1 g** grasas • **28 g** carbohidratos

Budín de piña y coco

PARA 2 PERSONAS

300 ml de zumo de piña
75 ml de crema de coco
3 cucharadas de fécula de patata
1 sobre de azúcar vainillado
2 cucharadas de escamas de coco

PREPARACIÓN: 10 minutos
ENFRIADO: 2 horas

1. Mezclar el zumo de piña con la crema de coco y la fécula de patata en una cazuela. Llevar la mezcla a ebullición y añadir el azúcar vainillado.

2. Repartir la mezcla en dos cuencos. Dejar enfriar y reservar como mínimo durante 2 horas en el frigorífico.

3. Repartir por encima del budín las escamas de coco y servir.

CONSEJO

Este budín también combina bien con zumo de plátano, mango o pera. La presentación es especialmente espectacular si se desmolda. Para ello, repartir el budín en 2 moldes y enfriar. En el momento de servir, reseguir el borde del molde con la punta de un cuchillo y desmoldar en un platito de postre.

Valor nutricional por ración:

175 kcal • **1 g** proteínas • **0 g** grasas • **42 g** carbohidratos

Crema de albaricoque

PARA 2 PERSONAS

1/2 limón biológico
400 g de albaricoques
2 cucharadas de fécula de patata
200 ml de zumo de manzana

PREPARACIÓN: 20 minutos
ENFRIADO: 2 horas

1. Lavar el medio limón con agua caliente y secarlo. Rallar finamente la cáscara y exprimir el zumo. Escaldar los albaricoques 30 segundos en agua hirviendo. Retirarlos, meterlos en agua fría y pelarlos. Partir la fruta por la mitad y retirar el hueso. Triturar con la batidora los albaricoques junto con la ralladura y el zumo de limón.

2. Deshacer la fécula con un poco de zumo de manzana. Calentar el resto del zumo de manzana. Incorporar la fécula diluida y dejar hervir 3 minutos. Añadir el puré de albaricoque y dejar enfriar. Repartir la crema en dos cuencos y meter en el frigorífico unas 2 horas hasta que cuaje.

VARIANTE

Para variar, prepare la crema con 2 peras grandes o 1 mango pequeño.

Valor nutricional por ración:

165 kcal • **2 g** proteínas • **0 g** grasas • **38 g** carbohidratos

Crema de manzana y mijo

PARA 2 PERSONAS

400 ml de zumo de manzana
100 g de mijo
4 manzanas
1 trozo de jengibre fresco
(de aproximadamente 1 cm)

PREPARACIÓN: 35 minutos
ENFRIADO: 30 minutos

1. Llevar a ebullición el zumo de piña. Echar el mijo y cocer a fuego lento durante 15 minutos.

2. Mientras tanto, pelar las manzanas, partirlas por la mitad y retirar el corazón. Trocear las manzanas, añadirlas al mijo y cocer 15 minutos. Pelar el jengibre y rallarlo fino. Incorporarlo al mijo.

3. Triturar la mezcla de mijo y manzana con la batidora. Repartir en dos copas de postre y reservarlo en el frigorífico unos 30 minutos.

CONSEJO

¿No tolera la manzana aunque esté cocida? En ese caso, prepare la crema con 400 g de piña o pera.

Valor nutricional por ración:

310 kcal • **6 g** proteínas • **3 g** grasas • **63 g** carbohidratos

Sorbete de coco

PARA 2 PERSONAS

100 g de azúcar
50 g de chocolate amargo
(sin soja ni leche)
250 ml de crema de coco
1 lima
azúcar glas

PREPARACIÓN: 30 minutos
**ENFRIADO (congelador
y heladera):** 40 minutos

1. Cocer el azúcar con 100 ml de agua y dejar enfriar por completo.
2. Picar el chocolate con ayuda de un cuchillo. Añadir al almíbar junto con la crema de coco. Dejar la mezcla en el congelador unos 30 minutos, hasta que esté prácticamente congelada. Enfriar la heladera.
3. Meter la masa de helado en la heladera y dejarla funcionar unos 10 minutos, hasta que el helado esté hecho. Sazonar el helado con zumo de lima y azúcar glas.

CONSEJO

También puede preparar el helado aunque no disponga de heladera. Para ello, ponga la mezcla del coco en un cuenco metálico y déjelo en el congelador durante 2 horas. Pasado ese tiempo, remueva enérgicamente cada 30 minutos, de manera que no se formen cristales grandes de hielo. Pasadas 6 horas de congelador, el helado estará a punto.

Valor nutricional por ración:

390 kcal • **2 g** proteínas • **10 g** grasas • **74 g** carbohidratos

Helado de arándanos

PARA 4 PERSONAS

4 cucharadas de azúcar
2 cucharadas de harina de arroz
300 ml de bebida de arroz
300 g de arándanos
(frescos o congelados)
4 cucharadas de jarabe de fruta
(jarabe de frutas del bosque, por
ejemplo, frambuesa)
2 cucharadas de zumo de limón

PREPARACIÓN: 30 minutos
**ENFRIADO (congelador
y heladera):** 40 minutos

1. Mezclar el azúcar con 4 cucharadas de agua, la harina y la bebida de arroz. Llevar la mezcla a ebullición y dejar enfriar.
2. Lavar la fruta y secarla. Dejar descongelar la fruta congelada. Triturar con la batidora la fruta con el jarabe de fruta y el zumo de limón. Colar el puré.
3. Mezclar el puré de fruta con la mezcla de la bebida de arroz y reservar en el congelador unos 30 minutos. Enfriar la heladera.
4. Poner la masa de helado en la heladera y hacer funcionar la máquina unos 10 minutos. Alternativamente, poner la masa de helado en un cuenco metálico y congelar unas 6 horas, durante las cuales, cada 30 minutos, debe remover bien el helado para que no se formen cristales de hielo.

CONSEJO

Antes de servir triture el helado con la batidora. De esta manera quedará deliciosamente cremoso.

Valor nutricional por ración:

135 kcal • **3 g** proteínas • **1 g** grasas • **28 g** carbohidratos

Pastel de calabaza sin huevo

PARA 10 RACIONES
(1 MOLDE DE 20 CM)

200 g de calabaza agridulce en conserva (de bote)

250 g de mezcla para hornear (sin gluten)

2 cucharaditas de levadura en polvo

50 g de azúcar

2 cucharadas de aceite vegetal

50 g de higos secos no sulfatados

1 trozo de jengibre fresco (de aproximadamente 2 cm)

canela

clavo molido

grasa para el molde

PREPARACIÓN: 25 minutos

HORNEADO: 45 minutos

1. Precalentar el horno a 200 °C. Engrasar el molde. Escurrir los trozos de calabaza en un colador. Triturar con la batidora la calabaza junto con la mezcla para hornear, la levadura en polvo, el azúcar, el aceite y 2 cucharadas de agua.

4. Cortar los higos en daditos. Pelar el jengibre y rallarlo. Añadir a la masa junto con los higos. Sazonar la masa con canela y clavo.

3. Llenar el molde con la masa. Meter en el horno (en la parte de abajo; a 180 °C si es por convección) y hornear unos 45 minutos. Dejar templar y desmoldar. Dejar enfriar sobre una rejilla.

CONSEJO

Naturalmente, en la temporada de calabaza puede preparar este pastel con calabaza fresca. Para ello cortar la calabaza a dados y ablandarla en agua con azúcar.

Valor nutricional por ración:

165 kcal • **3 g** proteínas • **3 g** grasas • **32 g** carbohidratos

Bizcocho con pepitas de chocolate

PARA 16 RACIONES
(1 MOLDE DE 30 CM)

250 g de mantequilla a punto de pomada

150 g de azúcar

2 cucharaditas de azúcar vainillado

4 cucharadas de sucedáneo de huevo en polvo

325 g de mezcla para hornear (sin gluten)

1 cucharada de levadura en polvo

150 ml de bebida de arroz

100 g de pepitas de chocolate amargo (sin soja ni leche)

azúcar glas

papel de horno

PREPARACIÓN: 10 minutos

HORNEADO: 1 hora

1. Precalentar el horno a 200 °C. Forrar el molde con papel de horno. Batir la mantequilla con el azúcar normal y el azúcar hasta que quede espumosa. Mezclar el sucedáneo de huevo, la mezcla para hornear y la levadura en polvo con la bebida de arroz. Incorporar las pepitas de chocolate. Llenar el molde con la masa.

2. Hornear el bizcocho (en el centro; si es por convección a 180 °C) durante 1 hora. Despegar con cuidado el bizcocho del borde del molde y desmoldar sobre una rejilla. Dejar enfriar. Servir espolvoreado con azúcar glas.

CONSEJO

Este pastel puede congelarse en raciones sin problemas en bolsas para congelar.

Valor nutricional por ración:

215 kcal • **1 g** proteínas • **15 g** grasas • **17 g** carbohidratos

Pastel de patata

en placa

**PARA 16 RACIONES
(1 PLACA DE HORNO)**

125 ml de bebida de arroz

1/2 dado de levadura de panadero
(21 g)

50 g de azúcar

250 g de mezcla para hornear
(sin gluten)

4 cucharadas de aceite vegetal

1 pellizco de sal

1/2 cucharadita de cáscara de
limón biológico rallada

500 g de patatas para cocer
(por ejemplo, de la variedad Linda)

100 g de pasas sin sulfatar

50 ml de zumo de manzana

50 g de margarina
(sin soja ni derivados lácteos)

60 g de azúcar glas

1 cucharada de zumo de limón

mezcla para hornear para trabajar

papel de hornear

PREPARACIÓN: 40 minutos

REPOSO: 1 hora y 30 minutos

HORNEADO: 30 minutos

1. Calentar ligeramente la bebida de arroz. Diluir en ella la levadura y el azúcar. Poner en un cuenco la mezcla para hornear, el aceite, la sal y la ralladura de limón. Añadir la leche con la levadura y amasar todo hasta obtener una masa pegajosa. Dejar reposar la masa tapada en un lugar cálido durante 45 minutos.

2. Lavar las patatas y cocerlas en agua hirviendo durante unos 25 minutos. Escurrirlas y dejarlas templar. Pelar las patatas y pasarlas por el pasapurés. Amasar con las pasas y el zumo de manzana y juntar con la masa levada. Dejar reposar la masa otros 45 minutos.

3. Precalentar el horno a 180 °C. Amasar de nuevo brevemente la masa. Si se pega, añadir un poco más de mezcla para hornear. Untar un rodillo con un poco de mezcla para hornear y estirar la masa sobre papel de hornear, formando un rectángulo (de aproximadamente 25 x 30 cm). Poner la masa estirada con el papel de hornear sobre una placa de horno. Fundir la margarina y untar con ella la masa. Hornear el pastel (en la parte de abajo; si es por convección a 160 °C) unos 30 minutos.

4. Retirar el pastel con el papel de hornear de la placa y dejar que se enfríe. Mezclar el azúcar glas con el zumo de limón hasta obtener una glasa espesa y pintar con ella el pastel.

VARIANTE

En lugar de pintar el pastel con la glasa, también puede espolvorearlo con azúcar mezclada con canela. Para ello, mezcle 30 g de azúcar con 1/2 ó 1 cucharadita de canela y espolvoréelo antes de hornear sobre la masa untada con la margarina. A continuación, hornee el pastel tal como se ha detallado.

Valor nutricional por ración:

120 kcal • **1 g** proteínas • **5 g** grasas • **16 g** carbohidratos

Pastel de zanahoria

PARA 12 RACIONES
(1 MOLDE REDONDO DE 26 CM Ø)

2 cucharadas de sucedáneo de huevo en polvo
150 g de azúcar
1/2 limón biológico
400 g de zanahorias
100 g de harina de alforfón
100 g de harina de *teff*
1 cucharadita de levadura en polvo
clavo molido
canela
grasa para el molde

PREPARACIÓN: 25 minutos
HORNEADO: 50 minutos

1. Precalentar el horno a 180 °C. Engrasar el molde. Mezclar el sucedáneo de huevo con 100 ml de agua y el azúcar. Lavar el limón con agua caliente y secarlo. Rallar finamente la cáscara y exprimir el zumo. Añadir ambos a la mezcla anterior.

2. Limpiar las zanahorias, pelarlas y rallarlas. Mezclar las zanahorias ralladas con las harinas de alforfón y de *teff* y la levadura en polvo, y añadir al agua de limón. Sazonar la masa con el clavo y la canela.

3. Poner la masa en el molde y hornear (en el centro; si es por convección 160 °C) unos 50 minutos, hasta que esté dorada. Dejar enfriar un poco y desmoldar. Dejar enfriar por completo sobre una rejilla.

VARIANTE

El que lo prefiera más dulce puede cubrir la tarta, una vez fría, con una glasa de azúcar. Mezclar 150 g de azúcar glas con 2 cucharadas de zumo de limón y extenderla con la ayuda de un cuchillo largo.

Valor nutricional por ración:

135 kcal • **2 g** proteínas • **1 g** grasas • **28 g** carbohidratos

Tarta de ciruelas

PARA 12 RACIONES
(1 MOLDE REDONDO DE 26 CM Ø)

50 g de margarina fría
(sin soja ni derivados lácteos)
100 g de harina de *teff*
50 g de harina de alforfón
3 cucharadas de fécula de patata
1/2 cucharadita de sal
750 g de ciruelas dulces
3 cucharadas de mermelada de ciruela
200 ml de bebida de arroz
4 cucharadas de sucedáneo de huevo en polvo
2 cucharadas de azúcar
grasa para el molde

PREPARACIÓN: 20 minutos
ENFRIADO: 30 minutos
HORNEADO: 30 minutos

1. Cortar la margarina en trozos pequeños. Amasar con las harinas de *teff* y de alforfón, la fécula, la sal y 7 cucharadas de agua para obtener una masa lisa. Si es necesario, añadir un poco más de agua. Envolver la masa con film de plástico y dejar reposar en el frigorífico 30 minutos.

2. Precalentar el horno a 200 °C. Engrasar el molde. Lavar las ciruelas, cuartearlas y retirar el hueso. Estirar la masa sobre el fondo del molde. Formar un borde con la masa de unos 2 cm de alto. Pintar el fondo con la mermelada y colocar las ciruelas cortadas a cuartos a modo de tejas superpuestas.

3. Hornear la tarta (en el centro; si es por convección a 180 °C) durante 15 minutos. Mezclar la bebida de arroz con el sucedáneo de huevo y el azúcar. Repartir sobre la tarta y hornear otros 15 minutos. Una vez se haya enfriado un poco, desmoldar y dejar enfriar por completo sobre una rejilla.

VARIANTE

La tarta también queda muy bien con naranja o piña, para todos aquellos que no toleran las frutas con hueso o con pepitas.

Valor nutricional por ración:

150 kcal • **2 g** proteínas • **5 g** grasas • **24 g** carbohidratos

Pastel dulce levado
con nectarinas

PARA 12 RACIONES
(1 MOLDE REDONDO DE 26 CM Ø)

50 g de margarina a punto de pomada (sin soja ni derivados lácteos)
150 g de harina de *teff*
50 g de harina de alforfón
50 g de fécula de patata
1 sobre de levadura seca
150 ml de bebida de arroz
50 g de azúcar
800 g de nectarinas
grasa para el molde

PREPARACIÓN: 35 minutos
REPOSO: 1 hora
HORNEADO: 20 minutos

CONSEJO

¿Ningún problema con el gluten? En ese caso, utilice harina normal en lugar de la mezcla de harinas de *teff* y alforfón y la fécula de patata. Asimismo, aquellas personas que toleren la leche pueden cambiar la bebida de arroz por leche normal (1,5 % de materia grasa) y utilizar mantequilla en lugar de margarina.

1. Cortar a trocitos la margarina. Amasar la margarina con las harinas de *teff* y de alforfón, la fécula, la levadura, la bebida de arroz y el azúcar hasta obtener una masa lisa. Dejar que repose durante unos 30 minutos en un lugar cálido. Volver a amasar bien y dejar reposar otros 30 minutos.

2. Precalentar el horno a 180 °C. Engrasar el molde. Estirar la masa en el fondo del molde.

3 Escaldar las nectarinas 1 minuto en agua hirviendo. Retirarlas y sumergirlas en agua helada. Pelarlas, partirlas por la mitad y retirar el hueso. Cortarlas en gajos.

4. Repartir las nectarinas sobre la masa. Hornear el pastel (en el centro; si es por convección a 160 °C) unos 20 minutos.

VARIANTE

Para preparar una tarta de grosellas con coco, elaborar el pastel levado tal como se ha descrito, pero hornearlo sin las nectarinas y dejar enfriar en el molde.
Lavar 1 kg de grosellas y secarlas. Desgranarlas y mezclarlas con 200 g de azúcar dejándolas macerar 20 minutos. Colar el jugo resultante, añadir agua hasta conseguir 200 ml y llevar a ebullición. Diluir 4 cucharadas de fécula de patata en agua fría y añadir al líquido en ebullición. Enfriar un poco e incorporar la fruta. Tan pronto como espese, extender sobre la tarta dentro del molde. Tostar 6 cucharadas de escamas de coco en una sartén antiadherente sin grasa. Repartirlas sobre las grosellas.

Valor nutricional por ración:

165 kcal • **3 g** proteínas • **5 g** grasas • **27 g** carbohidratos

Tarta de manzana
volteada con pasas

PARA 12 RACIONES
(1 MOLDE REDONDO DE 26 CM Ø)

750 g de manzanas dulces
100 g de pasas sin sulfatar
80 g de margarina a punto de pomada (sin soja ni derivados lácteos)
80 g de azúcar
1 sobre de azúcar vainillado
2 cucharadas de sucedáneo de huevo en polvo
200 g de fécula de patata
1 sobre de levadura en polvo
150 ml de bebida de arroz
1 cucharada de azúcar glas
canela
papel de hornear
grasa para el molde

PREPARACIÓN: 20 minutos
HORNEADO: 45 minutos

1. Precalentar el horno a 175 ºC. Forrar el fondo del molde con papel de hornear y engrasar el borde. Pelar las manzanas, cuartearlas y retirar el corazón. Cortarlas en gajos y colocarlos apretadamente sobre el fondo del molde. Repartir por encima las pasas.

2. Batir la margarina con el azúcar y el azúcar vainillado hasta que esté espumosa. Incorporar el sucedáneo de huevo, la fécula de patata, la levadura y la bebida de arroz. Extender la masa sobre la manzana. Hornear la tarta (en la parte de abajo; si es por convección a 150 ºC) durante unos 45 minutos.

3. Desmoldar la tarta volteándola sobre una bandeja. Retirar el papel de horno y dejar que se enfríe. Espolvorear la tarta con el azúcar glas y la canela.

CONSEJO

Aquellos que no toleren la manzana ni ninguna fruta con pepitas, también pueden preparar la tarta con mango, gajos de naranja bien escurridos (1 kg de fruta) o con nectarina o melocotón (750 g de fruta). En lugar de las pasas también combina bien con arándanos u otras frutas secas, siempre que no estén sulfatadas.

VARIANTE

Para preparar una tarta de chocolate y cerezas sustituir las manzanas y las pasas por 750 g de cerezas (frescas o de bote). Deshuesar las cerezas frescas, cocerlas brevemente en poca agua y dejar que se escurran. Si la fruta es de bote, dejar escurrir bien. Repartir las cerezas en el molde. Añadir a la masa 2 cucharadas de cacao. Proceder tal como se ha descrito y hornear.

Valor nutricional por ración:

205 kcal • **1 g** proteínas • **7 g** grasas • **35 g** carbohidratos

De un vistazo

Los doce desencadenantes de alergias e intolerancias alimentarias
de obligado conocimiento

Desencadenante	Cuidado: posibles fuentes ocultas	Sustitución y compensación de la pérdida de nutrientes	Peculiaridades
Huevos y derivados	Suflés, cremas, helados, bollería, platos de carne picada, mayonesa, alimentos empanados, salsas, sopas, rebozados	Sucedáneo de huevo (tiendas especializadas), rebozados sin huevo **Pérdida insignificante de nutrientes por la eliminación del huevo** Debido a la utilización frecuente de huevo en los alimentos industriales (por ejemplo, lecitina como emulsionante) deben evitarse un gran número de productos industriales	La mayoría de los alérgenos se encuentran en la clara de huevo
Cacahuetes y derivados	Aperitivos, *müsli*, barritas de *müsli* o chocolate	Alternativas sin cacahuetes **Pérdidas nutricionales insignificantes por la eliminación de los cacahuetes**	Pueden provocar alergias muy graves
Pescado y derivados	Platos preparados, *surimi*	**Pérdidas nutricionales por la eliminación del pescado:** los ácidos grasos omega-3 del pescado azul sólo pueden compensarse parcialmente de forma directa con el aceite de linaza o de nueces Sustituir el elevado contenido en yodo del marisco con la sal yodada y productos sazonados con la misma	Puede provocar alergias graves. El pescado de mar contiene alérgenos más intensos que el de agua dulce. La alimentación de las aves con harinas de pescado puede provocar alergia a la carne y los huevos de dichas aves
Gluten (cebada, avena, centeno, trigo, y también espelta, espelta verde, escanda, trigo *kamut*)	Cerveza, platos precocinados, salsas industriales, pralinés, preparados para flan y budín, helados, almidones, sopas de sobre, mezclas para sazonar	Cereales sin gluten: alforfón, maíz, arroz, *teff*; para espesar también harina de patata **Compensar las pérdidas nutricionales por eliminar los cereales que contienen gluten mediante las alternativas** Debido a la frecuente utilización del trigo y sus derivados en la industria alimentaria (por ejemplo, almidón de trigo como espesante y aglutinante) evitar gran parte de los productos industriales	En sentido estricto, el gluten no desencadena una alergia sino una intolerancia, con frecuencia asociada a una intolerancia a la lactosa
Crustáceos y derivados (gambas, camarones, bogavante, centollo, *surimi*, langostinos, cigala, nécoras)	Mezclas asiáticas para sazonar, sopa de pescado, paella	No puede sustituirse el sabor de los crustáceos Pérdidas nutricionales insignificantes por la eliminación de los crustáceos	Pueden provocar alergias graves

Desencadenante	Cuidado: posibles fuentes ocultas	Sustitución y compensación de la pérdida de nutrientes	Peculiaridades
Leche y derivados	Masas para hornear, platos precocinados, bollería, cacao en polvo, kétchup, mostaza, salsas preparadas, albóndigas, croquetas, helado, golosinas, cremas, salchichas, productos cárnicos	En caso de intolerancia a la lactosa: productos sin lactosa. En caso de alergia a la proteína de la leche: eventualmente puede optarse por queso de oveja o de cabra. La leche puede sustituirse por leche de arroz, soja o almendras. Con frecuencia se tolera la leche desnatada en pequeñas cantidades **Pérdidas nutricionales por la eliminación de la leche:** el calcio que contiene puede sustituirse mediante un agua mineral rica en calcio La vitamina B2 puede sustituirse por la que contienen productos como el pescado, la carne, algunas hortalizas (por ejemplo, el brócoli o los guisantes), la soja y las setas	Debe diferenciarse la alergia a la proteína de la leche de la intolerancia a la lactosa
Frutos secos y derivados (incluidos los pistachos y los piñones)	Bollería de todo tipo, algunas clases de quesos, crocanti, mazapán, almendrados, *müsli*, aceites de frutos secos, algunos productos cárnicos	No puede sustituirse el sabor de los frutos secos. En el caso de aceites, *müsli*, embutidos y quesos optar por alternativas sin frutos secos. **Pérdidas nutricionales por la eliminación de los frutos secos:** los ácidos grasos poliinsaturados que contienen los frutos secos pueden ser sustituidos por los de algunos aceites (oliva, vegetales)	Pueden provocar alergias muy graves
Dióxido de azufre y sulfuros	Chocolate y bollería con frutos secos, frutos secos, vino	Vino y frutos secos no sulfatados, chocolate y bollería biológicos **Pérdidas nutricionales insignificantes por la eliminación de los alimentos sulfatados**	En sentido estricto no se trata de una alergia, sino de una intolerancia
Apio y derivados	Zumo de hortalizas, caldos granulados, mezclas para sazonar, papillas para bebés (!)	Productos sin apio No puede sustituirse el sabor del apio Pérdidas nutricionales insignificantes por la eliminación del apio Productos sin mostaza	Puede provocar alergias graves
Mostaza y derivados	Productos cárnicos, marinados	No puede sustituirse la mostaza como producto para sazonar Pérdidas nutricionales insignificantes por la eliminación de la mostaza	
Sésamo y derivados	Bollería, *halvah*, margarina, *tahine*	Bollería sin sésamo Margarina pura de girasol Cremas nouguet **Pérdidas nutricionales insignificantes por la eliminación del sésamo**	Raras, pero puede provocar alergias muy graves
Soja y derivados	Bollería, pan, productos industriales, sucedáneo del huevo, ketchup, tamari, mayonesa, margarina, tofu, *tempeh*, salsa *Worcester*	El uso frecuente de los derivados de la soja en la industria alimentaria obliga a prescindir de muchos productos industriales **Pérdidas nutricionales insignificantes por la eliminación de la soja**	

Índice de platos por capítulos

Índice alfabético de recetas

Índice alfabético de recetas